W9-BNT-000

The italian project
1a

The italian project 1a

T. Marin
S. Magnelli

An Italian course for English speakers

Beginners A1 COMMON EUROPEAN FRAMEWORK OF REFERENCE

Student's book, workbook and video activities

www.edilingua.it

T. Marin, after having obtained a degree in Italian language studies, was awarded a Masters degree in ITALS (Italian teaching certification) at the University of Ca' Foscari in Venice and has gained much experience in teaching at various Italian language schools. He is the author of numerous educational books: *Progetto italiano 1, 2* and *3* (Student's book), *Progetto italiano Junior* (Student's book), *La Prova orale 1* and *2*, *Primo Ascolto*, *Ascolto Medio*, *Ascolto Avanzato*, *l'Intermedio in tasca*, *Vocabolario Visuale* and *Vocabolario Visuale - Quaderno degli esercizi* and coauthor of *Nuovo Progetto italiano Video* and *Progetto italiano Junior Video*. He has held numerous seminars and trained teachers in over 30 countries.

S. Magnelli teaches Italian Language and Literature at the Italian Language Department at the University of Aristotle in Salonica. He has been in charge of teaching Italian as a Foreign Language since 1979; he has collaborated with the Italian Cultural Institute of Salonica, whose courses he taught until 1986. Since then he has been in charge of education planning of Linguistic Institutes in the field of Italian as a Foreign Language. He is the author of the *Progetto italiano 1*, and *2* workbooks.

The authors and editors would like to thank their many colleagues whose precious observations have contributed to the improvements of this new edition.
They also sincerely thank their teacher-friends who examined and tested the material in the classroom and indicated the definitive form.
Lastly, special thanks to the editors and graphic artists of the publishing company for their utmost commitment.

to my daughter
T. M.

Headquarters
Via Cola di Rienzo, 212 00192 Rome, Italy
Tel. +39 06 96727307
Fax +39 06 94443138
www.edilingua.it
info@edilingua.it

Depot and Distribution Centre
Moroianni Street, 65 12133 Athens, Greece
Tel. +30 210 57.33.900
Fax +30 210 57.58.903

2nd edition: July 2010
ISBN: 978-960-693-019-5
Editing: A. Bidetti, L. Piccolo, M. Dominici
Collaborators: M. G. Tommasini
Photographs: M. Diaco, T. Marin
Layout: Edilingua
Illustrations: M. Valenti
Recordings: *Autori Multimediali*, Milano

Everything man does has an impact on the environment. We at Edilingua are convinced that our planets' future depends on every single one of us. **"The Earth needs your... HELP!"** is a small but constant sensibilization campaign aimed at students: each book is an invitation to reflect on what we all can do to save energy and reduce CO2 emission! Learn more on what we do on our website.

The authors would appreciate any suggestions, remarks or comments about these books from colleagues (to be sent to redazione@edilingua.it)

Foreword

Even though the previous edition of *Progetto italiano 1* has had growing acclaim everywhere, it was nevertheless considered necessary to make a New Edition in order to present a book that is more up to date and complete. This New Edition is the fruit of considered and accurate revision, made possible thanks to precious feedback provided over the years, through questionnaires, e-mails and direct contact with many colleagues who have used the book. This New Edition takes into account the new requirements borne from the latest theories and the reality that the Common European Framework of Reference for Languages has brought (this without discarding previous approaches and methods, as often happens, which have contributed to language teaching). Modern language, communicative situations enriched with spontaneity and naturalness, systematic work on the four skills, presentation of Italian real life through brief passages on the culture and civilization of our *Bel Paese*, the modern and appealing layout make *Nuovo Progetto italiano 1* a well proportioned learning tool, which is efficient and easy to use and has the ambition to make whoever is studying the language, fall in love with Italy, as well as aiming to supply all the notions that make it possible to communicate in Italian without problems.
You will note that the entire book constantly alternates communicative and grammar elements, with the goal of continually renewing the class's interest and the lesson's rhythm through brief and motivating activities. At the same time an attempt has been made to simplify and "demystify" grammar, letting the student simply discover it, and then put it into practice through various communicative activities. Activities that put the student at the centre of the lesson, the main character of a "film" in which we teachers are the directors. Staying behind the camera (or the scenes, if you prefer), we must only be a guide for our actors, giving the proper guidelines whenever necessary. Here, the *The Italian Project 1* could be seen as the script on which your "film" is based...

The New Edition
The Italian Project 1, despite maintaining the "strong points" of the previous edition, already well loved by teachers, is even more modern from a methodological standpoint, more communicative and inductive: it constantly invites the student, with the teacher's help, to discover new elements, grammatical and otherwise. Each unit has been subdivided into sections for easy lesson planning. The introductory unit was redesigned and the first units have been lightened up and made easier wherever we believed there may have been excessive content load. Other changes involved grammar content: some irregular forms have been moved to the Appendix and possessive forms are introduced briefly as early as the third unit. Another important novelty is given in the extra pages which enrich the Student's book, an initial page of preliminary activities and a final page with brief self-evaluation exercises. Furthermore, there are more audio recordings and comprehension activities while dialogues recorded by professional actors are more natural, spontaneous and shorter. There is more coherence between the vocabulary of the Student's book and that of the Workbook, which despite maintaining its originality and richness, presents shorter activities that are more varied as well as new unit exams. The illustrations have been renewed with new photographs that are more natural and with fun drawings. Finally, in order to help teachers make the best of our latest teaching tool, *Nuovo Progetto italiano Video 1*, we have enriched this edition with a section of Video Activities, motivating exercises on the *Episodes* that refer to each unit.

Unit structure (for more suggestions see the Guide)

- The introductory page of every unit (*Per cominciare...*) aims to give students the indispensable initial motivation through various techniques of reflection and emotional involvement, of pre-listening and listening, introducing the topic for the first section and often even the entire unit.
- Later, in the first section of the unit, the student reads and listens to recordings and checks his/her ideas given in previous activities. This attempt to understand the context, leads to a global unconscious understanding of new elements.
- Afterwards, the student re-reads the passage paying attention to correct pronunciation and intonation with a view to highlighting new grammar forms in the passage: in this way the students start to get an idea of the use of these new elements. Then, they answer comprehension questions and are asked to insert the words given (verbs, pronouns, prepositions, etc) in a similar dialogue, although not identical, to the introductory one. They therefore work on the meaning (a necessary condition to achieve true acquisition, according to Krashen) and unconsciously discover the structures. A brief summary, preferably done at home, represents the final phase of this reflection on the passage.
- At this point, the students alone or in pairs, start to reflect on the new grammar phenomena seeking to answer simple questions and complete the summary table with the missing forms, after which students attempt to apply the rules just encountered through simple oral activities. In this way the teacher can veri-

fy the comprehension or not of new phenomena and the students "learn to learn". A small reference indicates the exercises to be done in writing in the Workbook, at a later phase and preferably at home.

- The communicative functions are presented through brief dialogues and are then fully presented in easily consultable tables. The *role-play* activities which follow can be done both in pairs in front of the class or in various pairs at the same time. In both cases the objective is the use of new elements and a spontaneous expression which leads to the desired language autonomy. Each intervention by the teacher, therefore, must aim to act out the dialogue and not for linguistic accuracy. Regarding the latter there could be an intervention in a second phase and in an impersonal and indirect way.
- The texts of *Conosciamo l'Italia* can also be used as brief written comprehension tests, to introduce new vocabulary and, naturally, to present various aspects of the modern Italian reality. They can also be assigned as work to be done at home.
- The unit closes with the *Autovalutazione* (*Self-evaluation*) page which includes 4 brief activities of mostly communicative and vocabulary elements of the unit itself, just like the previous one. The students have answer keys at their disposal, but not on the same page, and they must be encouraged to do this activity not as the usual test, but as autonomous revision.

The Italian Project 1a

This edition also includes, in the same volume, the Workbook, Grammar Notes in English (in addition to the in depth information of the Grammar Appendix) as well as the Glossary (with the translation of the book's vocabulary passages). We believe that the latter is a particularly useful tool, in that it gathers all the words and expressions subdivided by unit.

The CD-ROM

The Italian Project is probably the only manual of Italian that includes an interactive CD-ROM without additional cost! This innovative multimedia support completes and enriches the paper material, offering many hours of additional practice. Furthermore, thanks to the high degree of interactivity, the student becomes more active, motivated and autonomous. The interactive CD-ROM offers the possibility of choosing either independent or guided study; the *Unità intere* are similar but not identical to those in the book in order to avoid discouragement. The student may also follow the content of the manual for the audio recordings (all the book's recordings), grammatical phenomena and communicative elements, of civilization or video films. The proposed *Esercizi Extra* are completely new with regard to the *Workbook*. For each activity done the student receives an educational evaluation, positive and encouraging feedback and has the possibility to see the solutions. At any moment, the student can print a report card. Moreover, thanks to the new "rec" function present in the latest 3.1 version of the CD-ROM, reviewed and compatible with both Windows and Macintosh, the student has the possibility to record and listen to his own voice, improving in this way his pronunciation and intonation.

Extra material

The Italian Project 1, as in part we have already seen, is completed by a series of extra materials (Video, Interactive Whiteboard Software, interactive CD-ROM, Dieci Racconti), many of which are freely available online (www.edilingua.it) for download (Teacher's guide, with practical ideas and suggestions as well as valuable photocopiable material, Test di progresso, Online glossary, Extra activities and games, Online activities, which are linked at the end of each unit).

Buon lavoro!
The authors

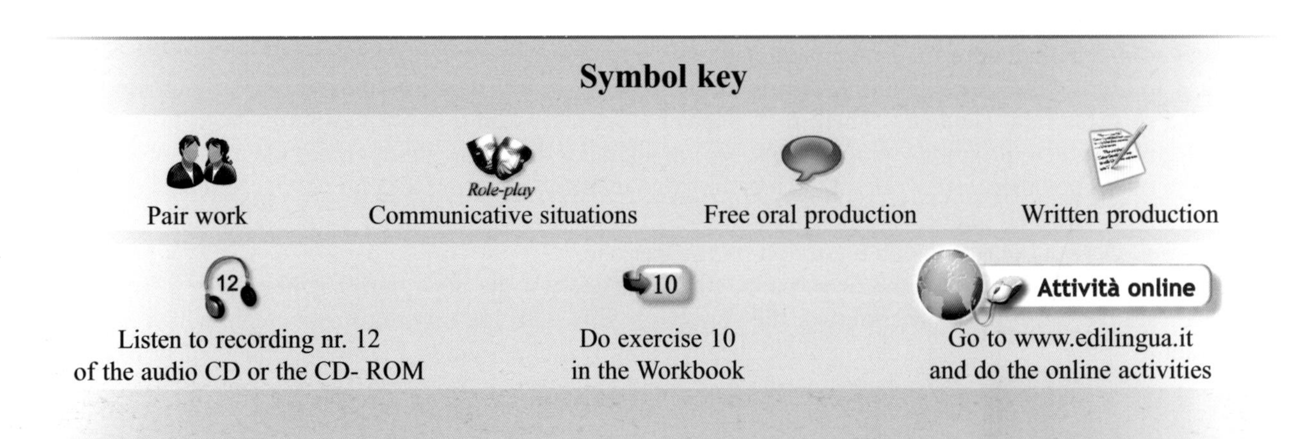

Benvenuti!

(Glossary on page 152)

A Parole e lettere

1 Look at the photos. What is Italy for you?

2 Work in pairs. Match the numbered photos to these words.

4 musica	8 spaghetti	7 espresso	2 cappuccino
5 opera	6 arte	3 moda	1 cinema

Are you familiar with other Italian words? ....

3 **The letters of the alphabet: listen.**

L'alfabeto italiano

A a	a	**H h**	acca	**Q q**	qu
B b	bi	**I i**	i	**R r**	erre
C c	ci	**L l**	elle	**S s**	esse
D d	di	**M m**	emme	**T t**	ti
E e	e	**N n**	enne	**U u**	u
F f	effe	**O o**	o	**V v**	vu (vi)
G g	gi	**P p**	pi	**Z z**	zeta
J j	i lunga	**K k**	cappa	**W w**	vu doppia
X x	ics	**Y y**	ipsilon (i greca)	*In foreign language words*	

4 **Spell the words in activity 2.**

5 **Pronunciation (1). Listen and repeat the words.**

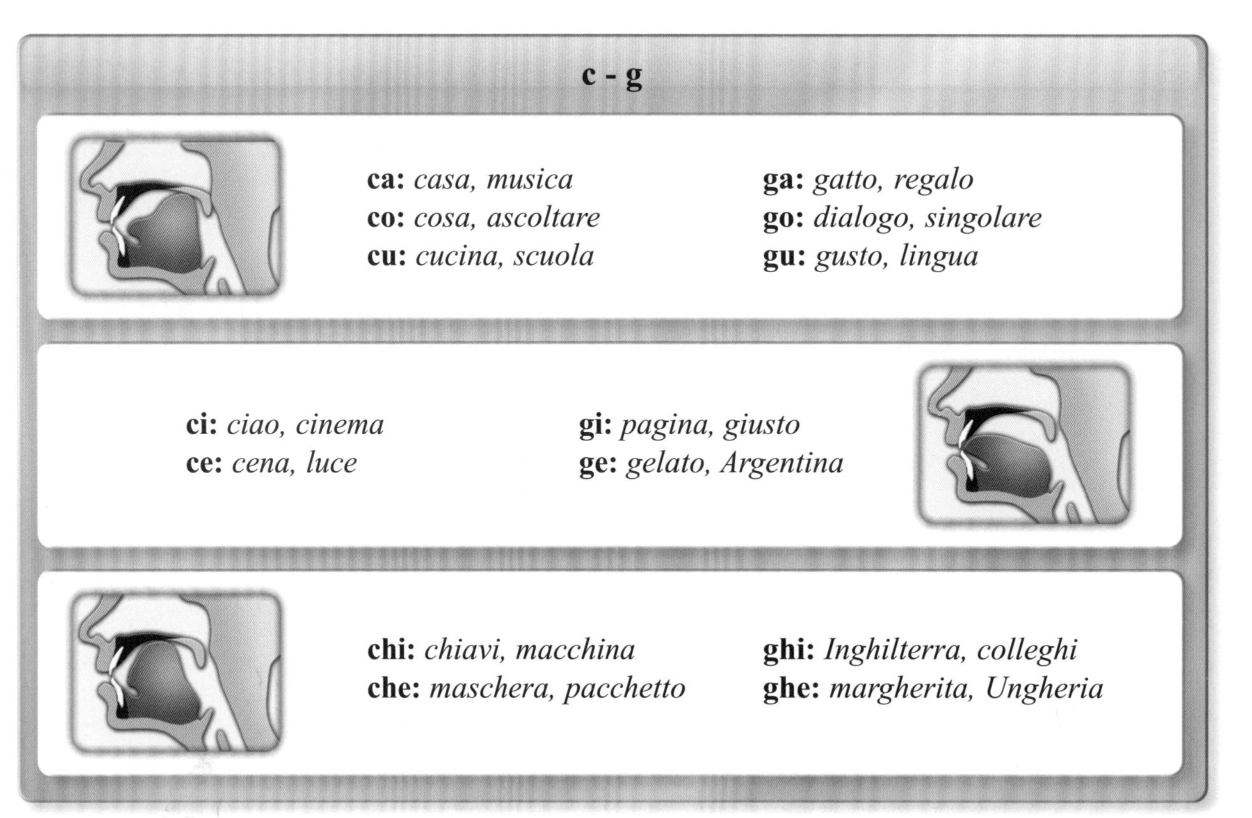

c - g

ca: *casa, musica*
co: *cosa, ascoltare*
cu: *cucina, scuola*

ga: *gatto, regalo*
go: *dialogo, singolare*
gu: *gusto, lingua*

ci: *ciao, cinema*
ce: *cena, luce*

gi: *pagina, giusto*
ge: *gelato, Argentina*

chi: *chiavi, macchina*
che: *maschera, pacchetto*

ghi: *Inghilterra, colleghi*
ghe: *margherita, Ungheria*

6 Listen and write down the words.

....

....

B Italiano o italiana?

1 Look at the pictures and the words. What do you notice?

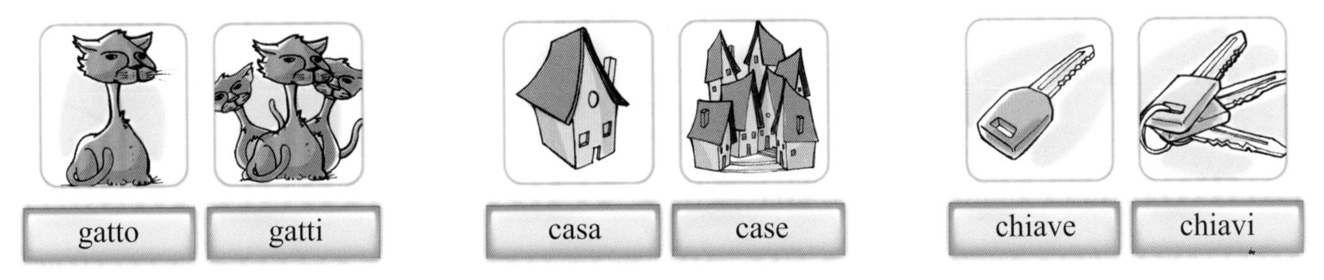

2 Work in pairs. Match the words to the pictures and find the mistake!

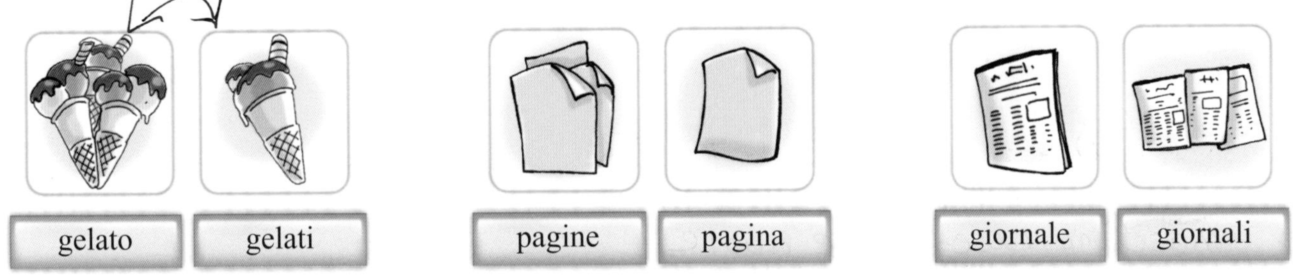

3 Look at the last letter of the singular and plural forms. What do you notice?

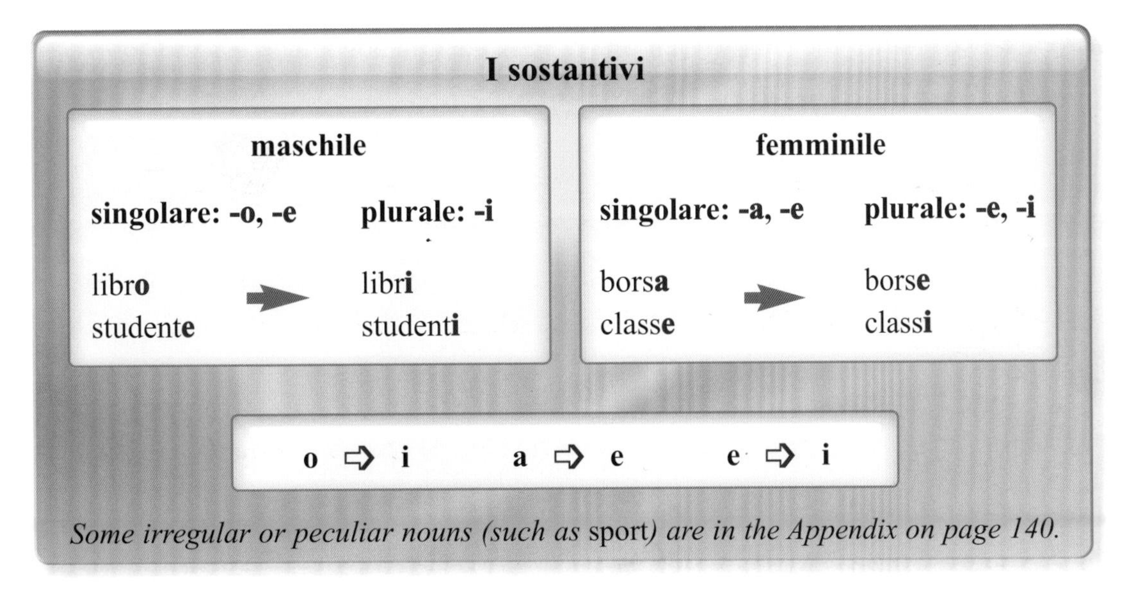

I sostantivi

maschile		femminile	
singolare: -o, -e	**plurale: -i**	**singolare: -a, -e**	**plurale: -e, -i**
libr**o**	libr**i**	bors**a**	bors**e**
student**e**	student**i**	class**e**	class**i**

o ➪ i   a ➪ e   e ➪ i

Some irregular or peculiar nouns (such as sport*) are in the Appendix on page 140.*

4 **Write the nouns in plural.**

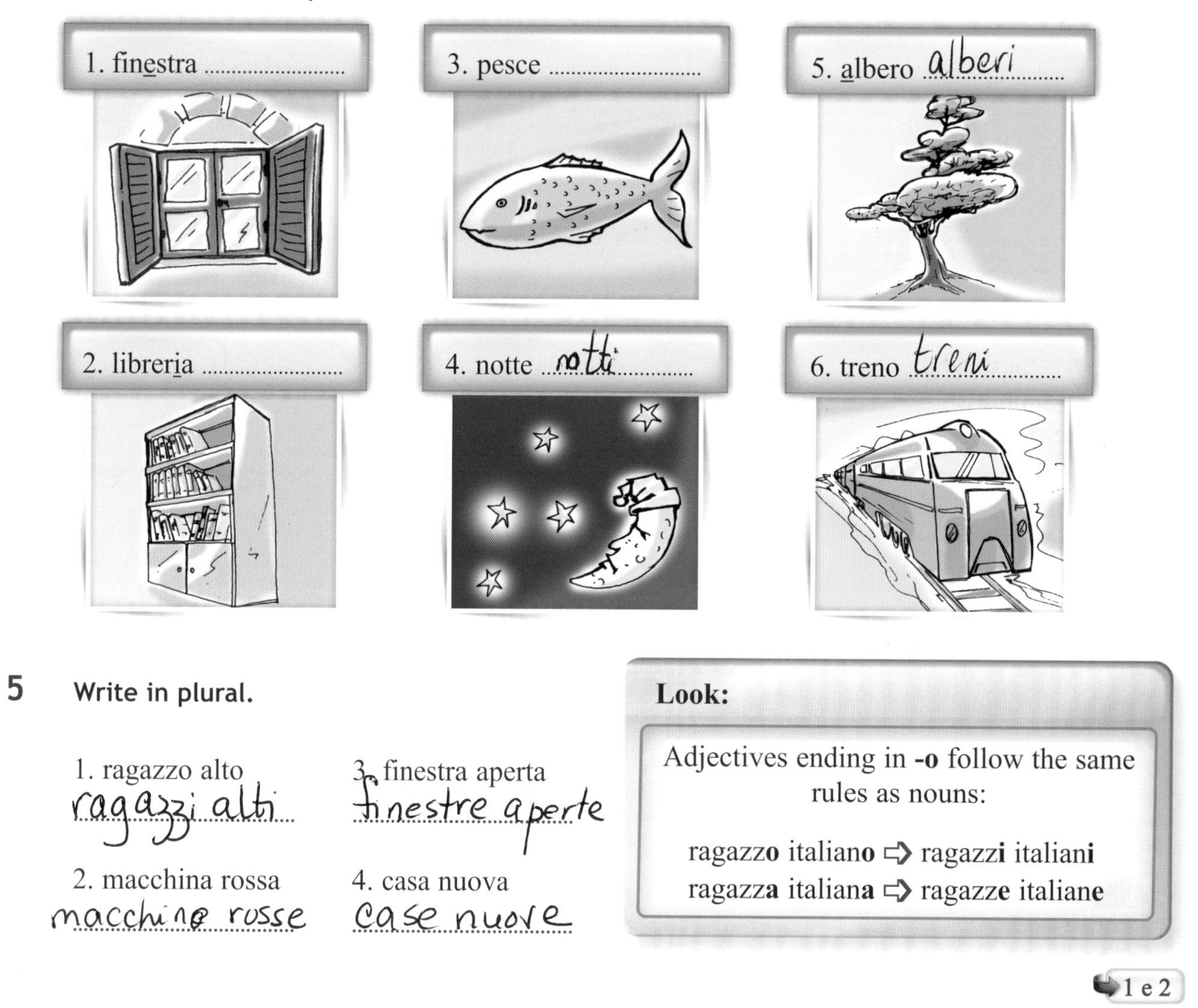

5 **Write in plural.**

1. ragazzo alto
2. macchina rossa
3. finestra aperta
4. casa nuova

Look:

Adjectives ending in **-o** follow the same rules as nouns:

ragazz**o** italian**o** ⇨ ragazz**i** italian**i**
ragazz**a** italian**a** ⇨ ragazz**e** italian**e**

1 e 2

C Ciao, io sono Gianna...

4 **1** **Listen to two short dialogues. Which photo does each dialogue correspond to?**

2 **Work in pairs. Listen again and complete the dialogues.**

a.

Stella: Buongiorno, Gianna. Questi sono Gary e Bob.
Gianna: Ciao, io ....sono.... Gianna. Siete americani?
Bob: Io sono americano, lui è australiano!

b.

Giorgia: Ciao, questa ....è.... Dolores.
Matteo: Piacere Dolores, io sono Matteo. ....Sei.... spagnola?
Dolores: Sì, e tu?
Matteo: Sono italiano.

3 **Read the dialogues and complete the table.**

Il verbo *essere*

io	....sono....		noi	**siamo**	
tu	**sei**	italiano/a	voi	**siete**	italiani/e
lui, lei	....è....		loro	**sono**	

4 **Look at the designs and orally build sentences, as shown.**

5 **Work in pairs. Build short dialogues, as shown:**
"Ciao, io sono Gàbor. Sono ungherese." "Io sono Helen, sono inglese. Piacere."

6 **Now introduce your partner to the class.**

3 e 4

5 **7** **Pronunciation (2). Listen and repeat the words.**

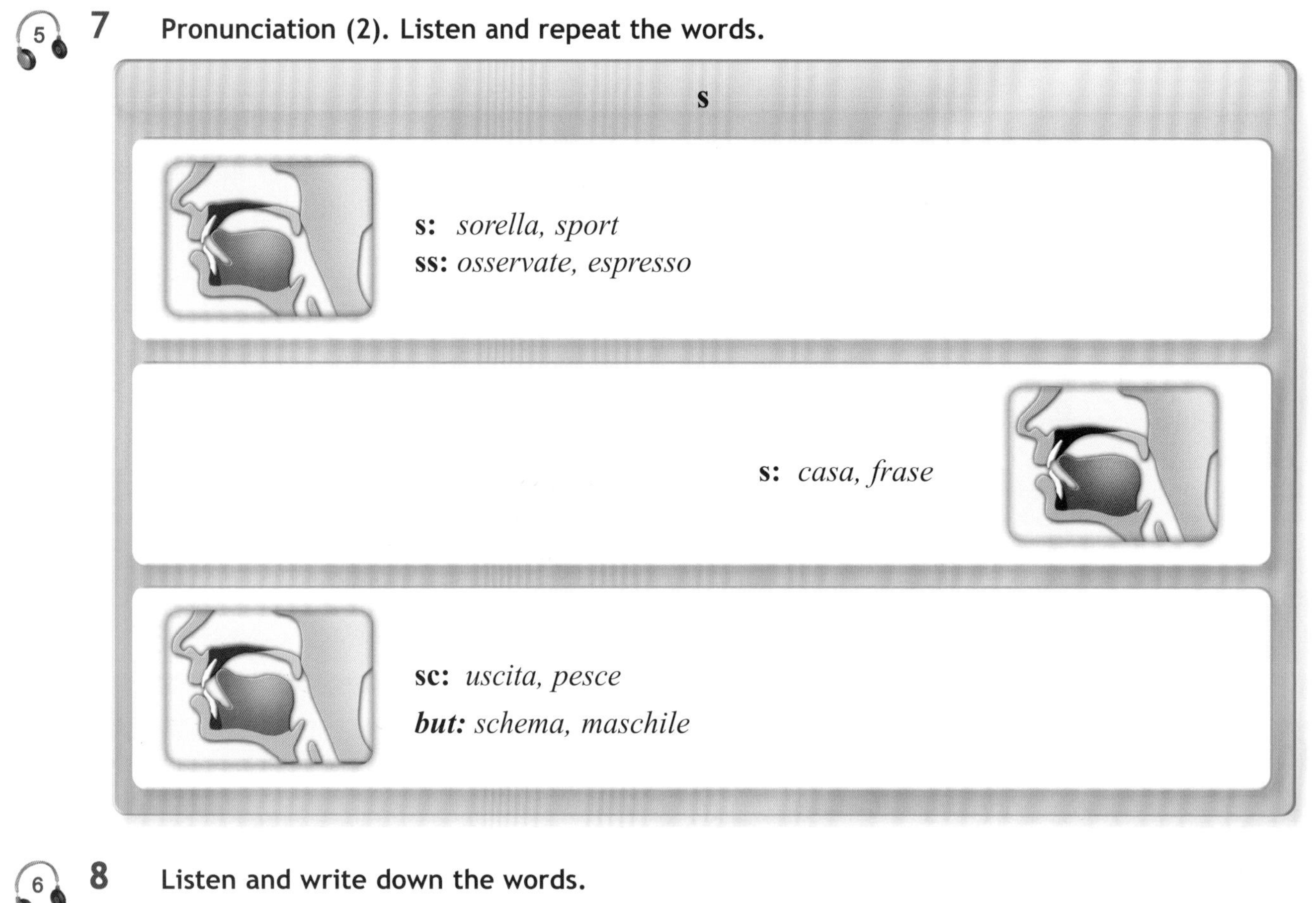

6 **8** **Listen and write down the words.**

....	....	....	....	....
....	....	....	....	....

D Il ragazzo o la ragazza?

7 **1** **Work in pairs. Match the photos to the sentences heard. Careful, there are two extra photos!**

2 Look at the table and complete the sentences which follow.

L'articolo determinativo

maschile	
singolare	**plurale**
il ragazzo	**i** ragazzi
l' albero	**gli** alberi
lo studente, zio	**gli** studenti, zii

femminile	
singolare	**plurale**
la ragazza	**le** ragazze
l' isola	**le** isole

1. Questa è .... macchina di Paolo.
2. Ah, ecco .... chiavi!
3. .... studenti d'italiano sono molti.
4. Questo è .... libro di Anna?
5. Il calcio è .... sport che preferisco!
6. Scusi, è questo .... autobus per il centro?

3 Complete with the articles given.

1. .... stivali
2. .... zaino
3. .... zia
4. .... panino

gli la il i l' gli il lo

5. .... aerei
6. .... opera
7. .... numeri
8. .... museo

5 e 6

4 **Make sentences as shown in the example:** "La macchina è rossa".
Note: you can follow the suggested order or make other combinations!

casa	pesci	libri	ristorante	vestiti	zio
bella	piccoli	nuovi	italiano	moderni	giovane

7 - 9

5 **Complete the table with the numbers given.**

uno *tre* *otto*

1	uno	**6**	sei
2	due	**7**	sette
3	tre	**8**	otto
4	quattro	**9**	nove
5	cinque	**10**	dieci

8 **6** **Pronunciation (3). Listen and repeat the words.**

gn - gl - z

gn: *bagno, spagnolo*

gl: *famiglia, gli*
but: *inglese, globale*

z: *zero, zaino*
azione, canzone
zz: *mezzo, azzurro*
pezzo, pizza

9 **7** **Listen and write down the words.**

....

....

E Chi è?

1 Listen and match the short dialogues to the drawings.

2 Listen and read the dialogues to check your answers.

1.
- Chi è questa ragazza?
- La ragazza con la borsa? Si chiama Carla.
- Che bella ragazza!

2.
- Tesoro, hai tu le chiavi di casa?
- Io? No, io ho le chiavi della macchina.
- E le chiavi di casa dove sono?

3.
- Sai, Maria ha due fratelli: Paolo e Dino.
- Davvero? E quanti anni hanno?
- Paolo ha 11 anni e Dino 16.

4.
- Ciao, io mi chiamo Andrea, e tu?
- Io sono Sara.
- Piacere.

3 Read the dialogues and complete the table.

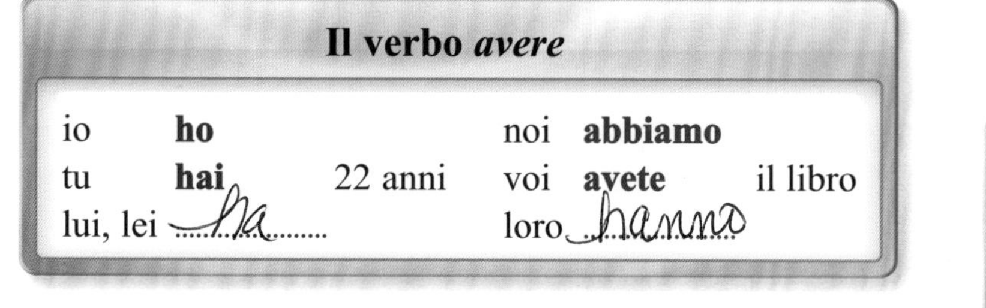

Il verbo *avere*

io	**ho**		noi	**abbiamo**	
tu	**hai**	22 anni	voi	**avete**	il libro
lui, lei	ha		loro	hanno	

Look:

io	mi chiamo	Marco
tu	ti chiami	Sofia
lui, lei	si chiama	Roberto/a

4 Match the sentences.

1. Quanti anni hai?
2. E tu come ti chiami?
3. Hai fratelli?
4. Ciao, io mi chiamo Matteo.

a. Sì, un fratello e una sorella.
b. 18.
c. E io sono Paola, piacere.
d. Antonio.

10 - 12

5 **Work in pairs. Complete the table with the numbers given.**

ventiquattro *sedici* *trenta* *ventisette*

11 undici	16 sedici	21 ventuno	26 ventisei
12 dodici	17 diciassette	22 ventidue	27 ventisette
13 tredici	18 diciotto	23 ventitré	28 ventotto
14 quattordici	19 diciannove	24 ventiquattro	29 ventinove
15 quindici	20 venti	25 venticinque	30 trenta

6 ▷ ***A*: ask your partner:** ▷ ***B*: answer *A*'s questions.**

Role-play

- *come si chiama*
- *quanti anni ha*
- *come si scrive (lettera per lettera) il suo nome e cognome*

At the end, *A* must report *B*'s answer to the class ("Lui/Lei si chiama..., ha...").

13

7 **Pronunciation (4). Listen and repeat the words.**

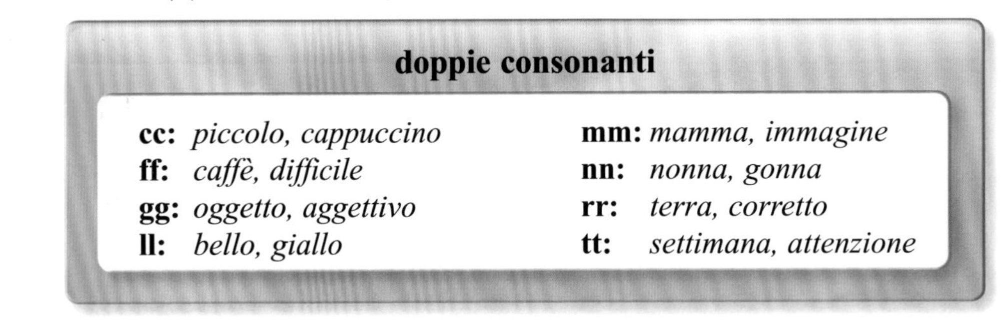

doppie consonanti

cc:	*piccolo, cappuccino*	**mm:**	*mamma, immagine*
ff:	*caffè, difficile*	**nn:**	*nonna, gonna*
gg:	*oggetto, aggettivo*	**rr:**	*terra, corretto*
ll:	*bello, giallo*	**tt:**	*settimana, attenzione*

8 **Listen and write down the words.**

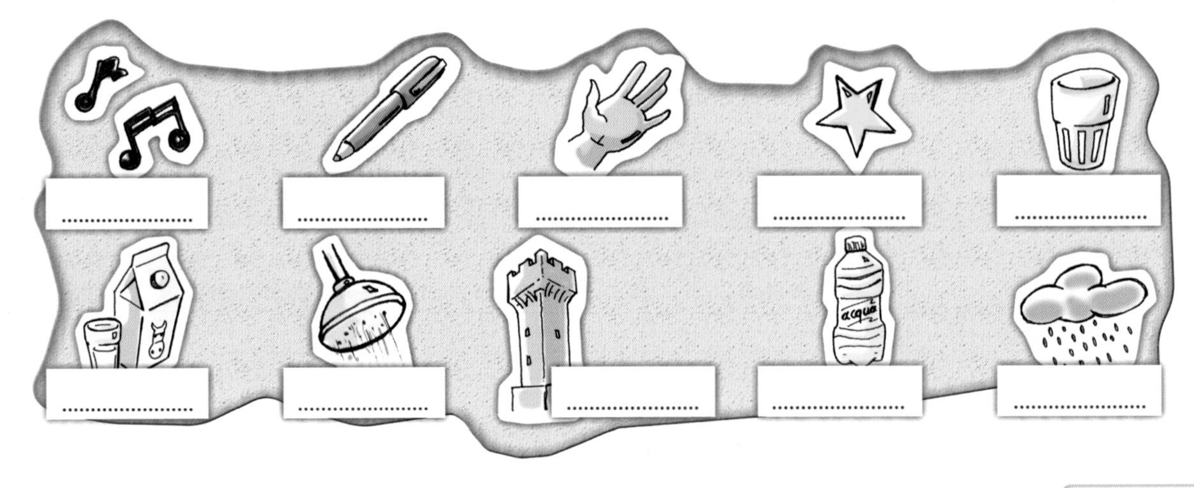

Test finale

Un nuovo inizio

Per cominciare...

1 Look at the photos and explain, in your language, which beginning is more important for you and why.

una nuova casa

un nuovo corso

un nuovo lavoro

un nuovo amore

2 Which of these words do you understand or are you familiar with?

notizia	importante	orario	agenzia
casa	direttore	gentile	fortunata

3 The words of activity 2 are part of a dialogue between two girls. Which beginning do you think they're talking about?

In this unit... (Glossary on page 154)

1. ...we learn to ask for and give information, to meet people, to greet, to describe the physical appearance or personality of a person, to use the polite form
2. ...we become acquainted with the presente indicativo, *the* articolo indeterminativo, *adjectives in -e*
3. ...we find some information about Italy

A E dove lavori adesso?

1 Listen to the dialogue twice and indicate if the sentences are true or false.

	V	F
1. Gianna telefona a Maria ogni giorno.		
2. Gianna non ha notizie importanti.		
3. Gianna lavora ancora in una farmacia.		
4. Per tornare a casa Gianna prende il metrò.		

Maria: Pronto?
Gianna: Ciao Maria, sono Gianna!
Maria: Ehi, ciao! Come stai?
Gianna: Bene, e tu?
Maria: Bene. Ma da quanto tempo!
Gianna: Eh, sì, hai ragione. Senti, ho una notizia importante!
Maria: Cioè?
Gianna: Non lavoro più in farmacia!
Maria: Davvero? E dove lavori adesso?
Gianna: In un'agenzia di viaggi.
Maria: Ah, che bello! Sei contenta?
Gianna: Sì, molto. I colleghi sono simpatici, il direttore è gentile, carino...
Maria: Hmm... E l'orario?
Gianna: L'orario d'ufficio: l'agenzia apre alle 9 e chiude alle 5.
Maria: E a casa a che ora arrivi?
Gianna: Ah, sono fortunata: quando finisco di lavorare, prendo il metrò e dopo venti minuti sono a casa.
Maria: Brava Gianna! Sono contenta per te.

2 Read.

Role play as Maria and Gianna and read the dialogue.

3 Answer the questions orally.

1. Qual è la bella notizia di Gianna?
2. Dove lavora adesso?
3. È contenta del nuovo lavoro?

4 Complete the dialogue with the verbs given.

Maria: E adesso?
Gianna: Adesso ...lavoro... in un'agenzia di viaggi.
Maria: Ah, bene! Com'è?
Gianna: Tutto bene, i colleghi, il direttore...
Maria: E l'orario? A che ora ...apre... l'agenzia?
Gianna: Alle 9 e ...chiude... alle 5. Poi io ...prendo... il metrò che è molto vicino.
Maria: A che ora ...arrivi... a casa?
Gianna: Mah, 20 minuti dopo.

chiude
arrivi
lavoro
apre
prendo

5 Work in pairs.
Fill in the verbs given in activity 4 beside the right personal pronoun.

io ....
tu ....
lui/lei ....

6 **Complete the table.**

Il presente indicativo

	1ª coniugazione **-are**	2ª coniugazione **-ere**	3ª coniugazione **-ire**	
	lavorare	***prendere***	***aprire***	***finire***
io	lavoro	prend**o**	apr**o**	fin**isco**
tu	lav**ori**	prendi	apr**i**	fin**isci**
lui lei Lei	lav**ora**	pr**ende**	apre	fin**isce**
noi	lavor**iamo**	prend**iamo**	apr**iamo**	fin**iamo**
voi	lavor**ate**	prend**ete**	apr**ite**	fin**ite**
loro	lav**orano**	pr**endono**	apr**ono**	fin**iscono**

Note: how *aprire*: *dormire*, *offrire*, *partire*, *sentire*, etc.
how *finire*: *capire*, *preferire*, *spedire*, *unire*, *pulire*, *chiarire*, *costruire*, etc.

7 **Answer the questions, as shown.**

Con chi parli? *(con Giorgio)* ➪ *Parlo con Giorgio.*

1. Che tipo di musica ascolti? *(musica italiana)*
2. Quando arrivi? *(oggi)*
3. Che cosa guardano Anna e Marta? *(la televisione)*
4. Cosa prendete da mangiare? *(gli spaghetti)*
5. Capisci tutto quando parla l'insegnante? *(molto)*
6. Quando partite per Perugia? *(domani)*

1 - 7

B Un giorno importante!

1 **Read Luca's e-mail and match the two columns.**
Careful: there is one extra sentence in the right column!

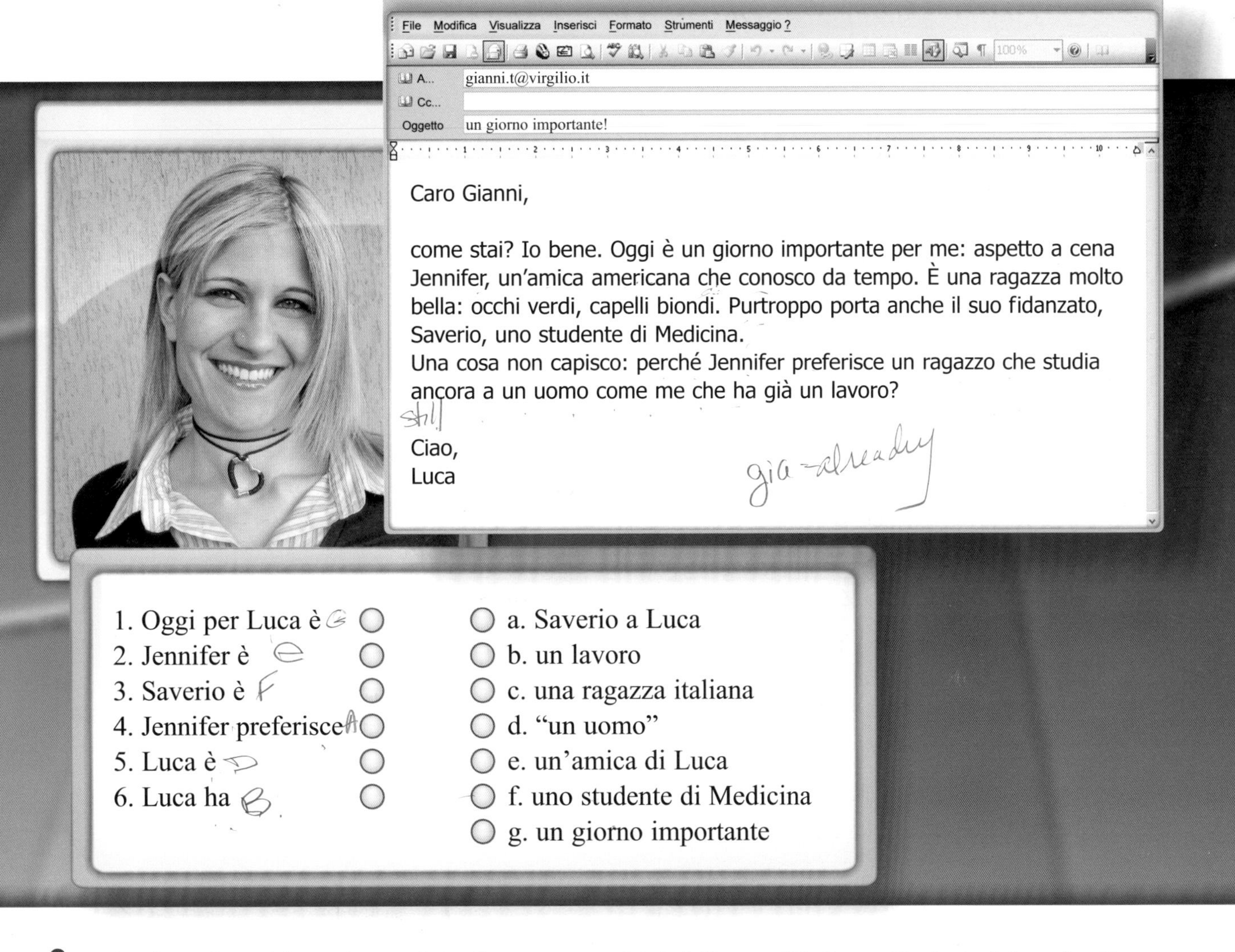

Caro Gianni,

come stai? Io bene. Oggi è un giorno importante per me: aspetto a cena Jennifer, un'amica americana che conosco da tempo. È una ragazza molto bella: occhi verdi, capelli biondi. Purtroppo porta anche il suo fidanzato, Saverio, uno studente di Medicina.
Una cosa non capisco: perché Jennifer preferisce un ragazzo che studia ancora a un uomo come me che ha già un lavoro?

Ciao,
Luca

1. Oggi per Luca è ◯
2. Jennifer è ◯
3. Saverio è ◯
4. Jennifer preferisce ◯
5. Luca è ◯
6. Luca ha ◯

◯ a. Saverio a Luca
◯ b. un lavoro
◯ c. una ragazza italiana
◯ d. "un uomo"
◯ e. un'amica di Luca
◯ f. uno studente di Medicina
◯ g. un giorno importante

2 **Look at the table and complete the passage which follows with the *articolo indeterminativo*.**

L'articolo indeterminativo

maschile		femminile	
un	palazzo amico	**una**	ragazza studentessa
uno	studente zaino	**un'**	amica edicola

Caro diario,

oggi è .... giornata importante. Aspettiamo a cena Saverio, ... amico di mio fratello. È .... ragazzo molto bello: occhi verdi, capelli castani, alto e intelligente. Purtroppo porta anche la sua fidanzata, Jennifer, ... studentessa di Lettere, ... ragazza alta e bionda.
Ma perché Saverio preferisce .... donna come tante a .... ragazza speciale come me? Forse perché ho solo 15 anni?

3 **Substitute the *articolo determinativo* with the *articolo indeterminativo*.**

1. il ragazzo alto
2. lo stipendio basso
3. l'orario pesante
4. l'attore famoso
5. la domanda difficile
6. il viso bello
7. l'idea interessante
8. la giornata bella
9. il corso d'italiano

8 e 9

4 **Read the diary:** "una giornata importante", "un ragazzo intelligente", "una ragazza speciale". **What do you notice? Look at the table.**

Aggettivi in -e

il libro / la storia — interessante	l'uomo / l'idea — intelligente	il tema / la partita — difficile
i libri / le storie — interessanti	gli uomini / le idee — intelligenti	i temi / le partite — difficili

5 **Make sentences using the nouns and adjectives given, e.g.:** "I ragazzi sono intelligenti".

casa dialogo libri ragazzi gonne anno

verdi difficili importante grande interessante gentili

10

C Di dove sei?

14 **1** **Listen to the dialogue of the first meeting between Jennifer and Saverio, protagonists of the previous pages. Underline the expressions which they both use to ask for information.**

Jennifer: Scusa, per andare in centro?
Saverio: ...In centro? Eh... prendi il 12 e scendi dopo quattro o cinque fermate...
Jennifer: Grazie!
Saverio: Prego! Sei straniera, vero?
Jennifer: Sì, sono americana, di Chicago.
Saverio: Chicago... e sei qui per lavoro?
Jennifer: No, per studiare. Sono qui da due giorni.
Saverio: Allora ben arrivata! Io mi chiamo Saverio.
Jennifer: Io sono Jennifer, piacere.
Saverio: Piacere. Complimenti, parli bene l'italiano!
Jennifer: Grazie!
Saverio: Ah... e abiti qui vicino?
Jennifer: Sì, in via Verdi.
Saverio: Davvero? Anch'io!
Jennifer: Allora... a presto!
Saverio: A presto! Ciao!

2 **Answer the questions.**

1. Di dov'è Jennifer? Jennifer è di Chicago
2. Perché è in Italia? È in Italia per studiare
3. Dove abita? Abita in via Verdi.

3 **Complete the short dialogues with the missing questions.**

- Scusa, per andare in centro?
- Prendi il 12 e scendi all'ultima fermata.

- Sei italiana?
- No, sono spagnola.

- Dové abiti?
- Sono di Malaga.

- Sei qui per studiare?
- No, sono in Italia per lavoro.

- Dove abiti?
- In via delle Belle Arti.

VIA
DELLE
BELLE ARTI

Chiedere informazioni	Dare informazioni
Scusa, per arrivare / andare...?	*Prendi l'autobus e...*
Sei straniero, vero?	*Sì, sono francese.*
Di dove sei?	*Sono di Napoli.*
Sei qui per studiare?	*Sono in Italia per motivi di lavoro.*
Da quanto tempo sei qui / studi l'italiano?	*Sono in Italia / studio l'italiano da 2 anni.*
Dove abiti?	*Abito in via Giulio Cesare, al numero 3.*

Role-play

4 ▷ *A*: ask your partner:

- *se è straniero*
- *di dove è*
- *da quanto tempo studia l'italiano*
- *dove abita*

▷ *B*: answer the questions *A* asks you.

11 e 12

D Ciao Maria!

1 Look at the pictures. What do you think they have in common?

2 (15) Listen to the short dialogues and indicate which photos they correspond to. Then listen again and check your answers.

Salutare

Buongiorno!
Buon pomeriggio!
Buonasera!
Buonanotte!
Ciao! (informale)
Salve! (informale)
Ci vediamo! (informale)
Arrivederci!
ArrivederLa! (formale)

3 Imagine the dialogues suited to the following situations.

4 ▷ *A*: greet a friend: ▷ *B*: reply to *A*'s greeting.

- *all'università la mattina*
- *quando esci dalla biblioteca alle 15*
- *al bar verso le 18*
- *quando esci dall'ufficio alle 20*
- *dopo una serata in discoteca*

E Lei, di dov'è?

1 **Read the dialogue and answer the questions.**

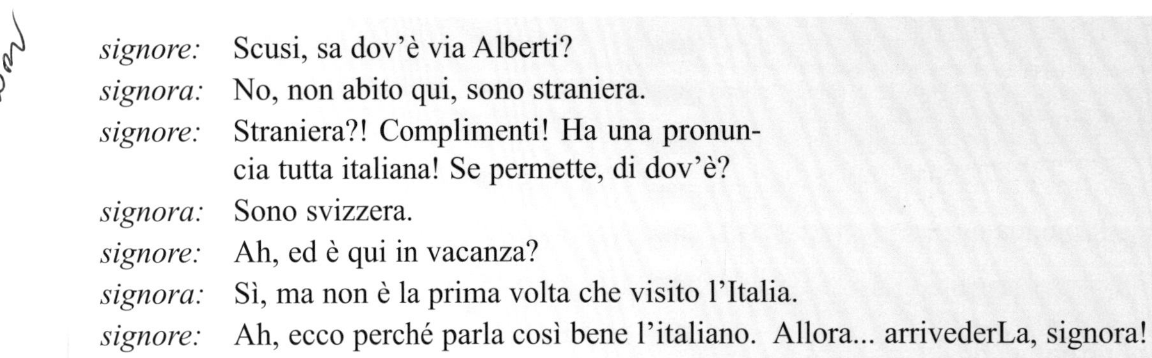

signore: Scusi, sa dov'è via Alberti?
signora: No, non abito qui, sono straniera.
signore: Straniera?! Complimenti! Ha una pronuncia tutta italiana! Se permette, di dov'è?
signora: Sono svizzera.
signore: Ah, ed è qui in vacanza?
signora: Sì, ma non è la prima volta che visito l'Italia.
signore: Ah, ecco perché parla così bene l'italiano. Allora... arrivederLa, signora!
signora: ArrivederLa!

1. Cosa chiede il signore? **2. Di dov'è la signora?** **3. Perché è in Italia?**

2 **Read the two dialogues and note the differences.**

a.

Jennifer: Scusa, per andare in centro?
Saverio: ...In centro? Eh... prendi il 12 e scendi dopo quattro o cinque fermate...
Jennifer: Grazie!
Saverio: Prego! Sei straniera, vero?

b.

signore: Scusi, sa dov'è via Alberti?
signora: No, non abito qui, sono straniera.
signore: Straniera?! Complimenti! Ha una pronuncia tutta italiana! Se permette, di dov'è?

In Italian it is possible to use the informal *tu* to a person (such as in dialogue **a.**) **or the formal *Lei*, the polite form** (such as in dialogue **b.**), **with the verb conjugated in the third person singular. Is there such a form in your language?**

3 ▷ *A*: starting with "Scusi, signore / signora / signorina...?" ask someone you don't know well:

- *come si chiama*
- *se studia o lavora*
- *quanti anni ha*
- *se abita vicino*

▷ *B*: reply to *A* and continue: "E Lei?". *A*: reply.

F Com'è?

1 **Work in pairs. Look at these words and underline the adjectives.**

bello simpatico capelli lungo occhio azzurro naso biondo

2 **Put the dialogue in order then listen to it.**

1 Com'è Gloria? Bella?

E come sono i nasi alla francese?

Bruna e ha i capelli non molto lunghi. Ha gli occhi azzurri e il naso alla francese.

Come quello di Gloria!

Sì, è alta e abbastanza magra. È anche molto simpatica.

È bionda o bruna?

3 **Fill in the missing adjectives.**

L'aspetto...

è... / non è molto...

....

basso

giovane vecchio brutto ....

ha i capelli:

corti .... biondi .... rossi

ha gli occhi:

.... castani neri verdi

...e il carattere

è... / sembra...

.... # antipatico   allegro # triste   scortese # gentile

13 e 14

4 **A famous face. Complete with these words:** i capelli l'occhio il naso

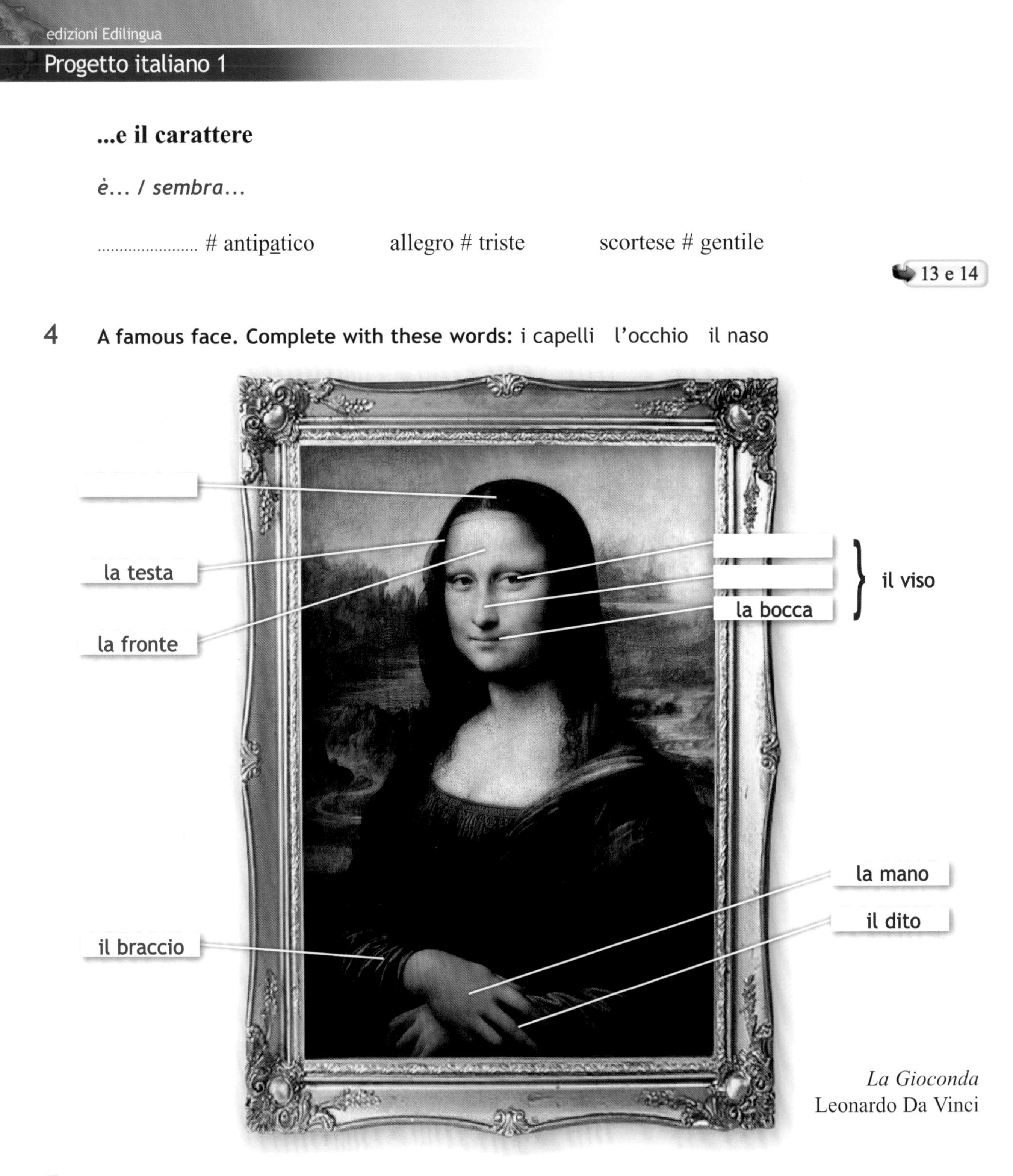

La Gioconda
Leonardo Da Vinci

Role-play

5 **In turns, describe:**

a. yourselves
b. a classmate, without naming them: the others must guess who it is!

6 **Scriviamo**

Describe your best friend (name, age, personality, appearance, how long you have been friends, etc.). *(40-50 words)*

Test finale

L'Italia: regioni e città

1. Which Italian cities do you know about? Where are they? What do you know about these cities?
2. Look at the map. How many regions (like Lazio) does Italy have? Which are the 3 biggest regions and which are the 3 smallest?

Autovalutazione

What do you remember from the introduction unit and unit 1?

1. Do you know how to...? Match the two columns.

1. salutare
2. descrivere l'aspetto
3. dire l'età
4. dare informazioni
5. descrivere il carattere

a. *Buonasera Stefania!*
b. *Abitiamo in via Paolo Emilio, 28.*
c. *È una bella ragazza.*
d. *Luca è un tipo allegro.*
e. *Paolo ha 18 anni.*

2. Match the sentences.

1. Parli molto bene l'italiano!
2. Ciao, come stai?
3. Io mi chiamo Giorgio.
4. Scusi, di dov'è?
5. Sei qui in vacanza?

a. No, per studiare l'italiano.
b. Grazie!
c. Sono spagnolo.
d. Piacere, Stefania.
e. Molto bene e tu?

3. Complete.

1. Il contrario di *alto*: ....
2. Due regioni italiane: ....
3. La seconda persona singolare di *capire*: ....
4. La seconda persona plurale di *avere*: ....

4. Find the six hidden words.

a r o n a s o t r i t e t r e n t a p o t t e s t a z u b i o n d e g e n o r a r i o p l i s e d i c i

Check the solutions on page 143. Are you satisfied?

La Fontana di Trevi, Roma

Come passi il tempo libero?

Per cominciare...

1 Look at the photos. Which of these activities do you like doing in your free time?

2 The first dialogue of this unit is an interview of Eros Ramazzotti. What do you know about him? What do you think he does in his free time?

17 3 Listen to the interview once (it isn't important to understand everything). What does Ramazzotti speak about?

In this unit... (Glossary on page 155)

1. ...we learn how to invite, how to accept/decline an invitation, to ask and tell what time it is, to ask and say what day it is, to describe an apartment, cardinal numbers from 30 to 2.000 and ordinal numbers (1st, 2nd, etc.)
2. ...we learn about some irregular verbs in the presente indicativo, *modal verbs and some prepositions*
3. ...we find information about means of inner-city transport in Italy

A Un'intervista

The magazine *Max* interviews Eros Ramazzotti.

17 **1 Listen to the dialogue again and indicate the correct sentences.**

1. Eros Ramazzotti
   - a. esce molto spesso la sera
   - b. è un tipo sportivo
   - c. non ha molti amici

2. Il fine settimana
   - a. va a Roma
   - b. va sempre all'estero
   - c. va al lago

EROS RAMAZZOTTI

Max: *Caro Eros, sappiamo tutto sulla tua carriera, ma poco della tua vita privata. Per esempio, che cosa fai nel tempo libero?*

Eros: Eh, purtroppo non ho molto tempo libero. A dire la verità, spesso sto a casa. Ma quando posso, gioco a calcio. Come molti sanno, gioco ancora nella nazionale cantanti. Inoltre, qualche volta esco con gli amici più intimi.

Max: *E dove andate quando uscite?*

Eros: Mah, a mangiare o a bere qualcosa. Quando, invece, non ho voglia di uscire, sono gli amici che vengono da me: ascoltiamo musica o guardiamo un po' la tv.

Max: *E i fine settimana, cosa fai?*

Eros: Come sai io amo molto la natura e quando posso vado al lago di Como dove ho una casa. Se viene qualche amico, facciamo delle gite o andiamo a pescare. Ma spesso sono in tournée all'estero. La settimana prossima, per esempio, vado in Francia e in Spagna per due concerti: uno a Parigi e uno a Barcellona.

2 **Read.**

Role play as the *Max* journalist and as Eros Ramazzotti and read the interview.

3 **Answer the questions.**

1. Dove va di solito Eros quando esce?
2. Cosa fa quando resta a casa con gli amici?
3. Come passa il tempo Eros quando va sul lago di Como?

4 **Re-read the interview and complete the table.**

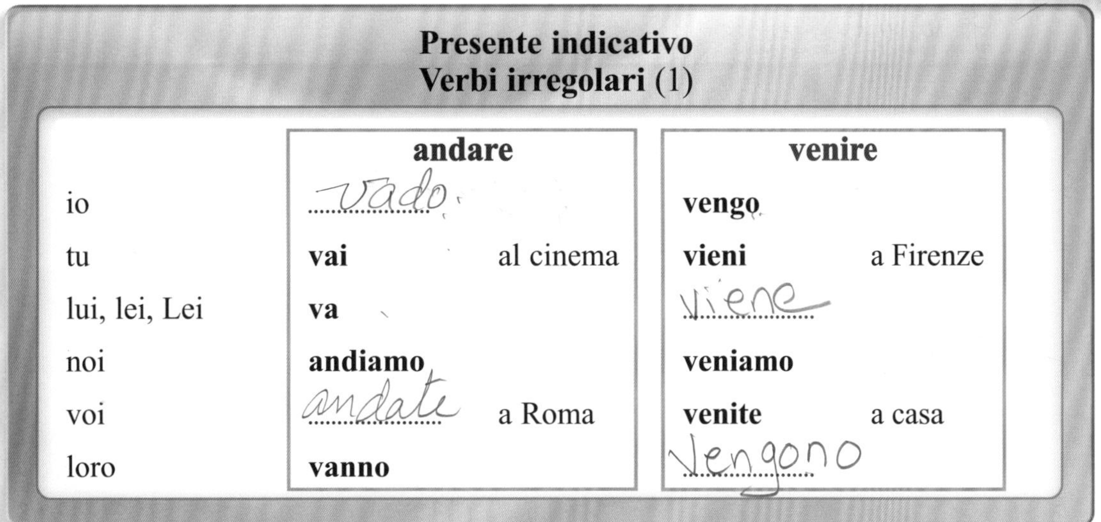

Presente indicativo
Verbi irregolari (1)

	andare		**venire**	
io	vado		**vengo**	
tu	**vai**	al cinema	**vieni**	a Firenze
lui, lei, Lei	**va**		viene	
noi	**andiamo**		**veniamo**	
voi	andate	a Roma	**venite**	a casa
loro	**vanno**		vengono	

5 **Complete with the verbs *andare* and *venire*.**

1. Ma perché Tiziana e Mauro vanno in centro a quest'ora?
2. Ragazzi, stasera noi andiamo a ballare, voi che fate?
3. Noi non andiamo con voi al cinema, siamo stanchi.
4. Carla, a che ora va a scuola la mattina?
5. Quando vieni dall'aeroporto Paolo?
6. Domani vengo con te a Milano.

1 e 2

Galleria Vittorio Emanuele, Milano

6 **Work in pairs: look for the verbs in the interview to complete the table.**

Presente indicativo
Verbi irregolari (2)

	dare	**sapere**	**stare**
io	do	so	....
tu	dai	....	stai
lui, lei, Lei	dà	sa	sta
noi	diamo	sappiamo	stiamo
voi	date	sapete	state
loro	danno	sanno	stanno
	uscire	**fare**	**giocare**
io	....	faccio	....
tu	esci	fai	gioc**h**i
lui, lei, Lei	esce	fa	gioca
noi	usciamo	....	gioc**h**iamo
voi	uscite	fate	giocate
loro	escono	fanno	giocano

Note: *The verb* giocare *(like the verb* pagare*) is regular but, as you can see, has some peculiarities. Other verbs are in the Appendix on page 141.*

7 **Answer the questions, as shown.**

Cosa fai stasera? *(uscire / con Paolo)* ⇨ *Esco con Paolo.*

1. Qual è la prima cosa che fate la mattina? *(fare / colazione)*
2. Perché dite questo? *(perché / sapere / la verità)*
3. Chi paga questa volta? *(oggi / noi)*
4. Come stanno i tuoi genitori? *(stare / molto bene)*
5. Che fa Dino stasera? *(uscire / con gli amici)*
6. Cosa fanno i ragazzi dopo la lezione? *(giocare / a calcio)*

3 - 5

B Vieni con noi?

1 Read and listen to the short dialogues. (18)

- Alessio, vieni con noi in discoteca stasera?
- Purtroppo non posso, devo studiare.
- Ma dai, oggi è venerdì!
- Non è che non voglio, è che davvero non posso!

- Che fai domani? Andiamo al mare?
- Sì, volentieri! Con questo bel tempo non ho voglia di restare in città.

- Carla, domani pensiamo di andare a teatro. Vuoi venire?
- Certo! È da tempo che non vado a teatro!

- Senti, che ne dici di andare alla Scala stasera? Ho due biglietti!
- Mi dispiace. Purtroppo non posso. Mia madre non sta molto bene e voglio restare con lei.

2 Complete with the expressions from point 1.

- Io e Maria pensiamo di andare al cinema. ....?
- .... È un'ottima idea.

- ....?
- Mi dispiace, non posso.

- ....?
- Volentieri!

- Ho due biglietti per il concerto di Bocelli. Ci andiamo?
- ....

- Che ne dici di andare a Venezia per il fine settimana?
- ....

Invitare	**Accettare un invito**	**Rifiutare un invito**
Vieni...?	*Sì, grazie! / Con piacere!*	*Mi dispiace, ma non posso.*
Vuoi venire...?	*Certo! / Volentieri!*	*Purtroppo non posso.*
Andiamo...?	*D'accordo!*	*No, grazie, devo...*
Che ne dici di...?	*Perché no?*	
	È una bella idea.	

Role-play

3 ▷ *A*: look at the drawings and invite *B*:

a mangiare la pizza

ad una mostra d'arte

a fare le vacanze insieme

a fare spese insieme

un fine settimana al mare

a guardare la tv

▷ *B*: accept or decline *A*'s invitations.

C Scusi, posso entrare?

1 Look at the sentences.

2 **Complete the table.**

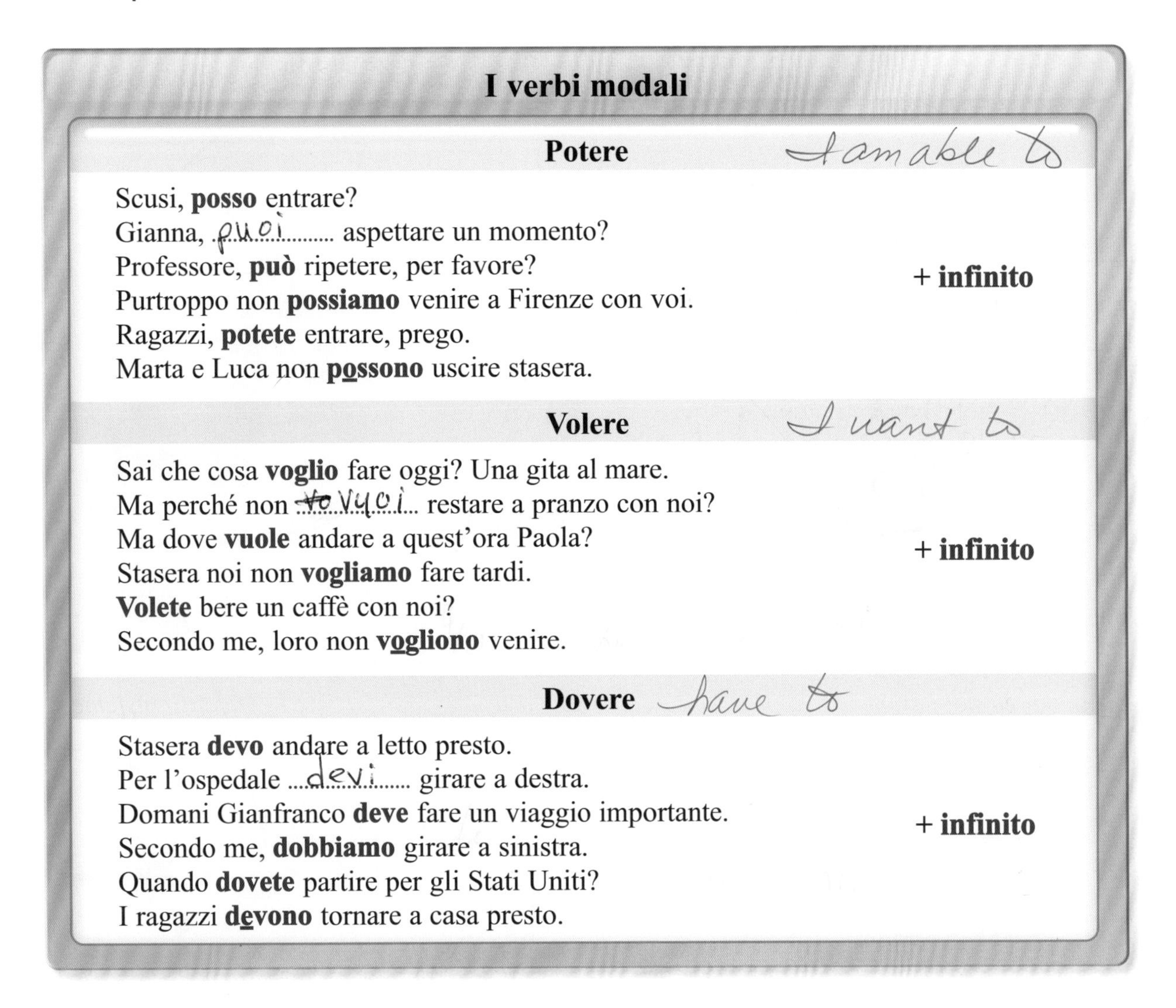

I verbi modali

Potere

Scusi, **posso** entrare?
Gianna, ... aspettare un momento?
Professore, **può** ripetere, per favore?
Purtroppo non **possiamo** venire a Firenze con voi.
Ragazzi, **potete** entrare, prego.
Marta e Luca non **possono** uscire stasera.

+ infinito

Volere

Sai che cosa **voglio** fare oggi? Una gita al mare.
Ma perché non .... restare a pranzo con noi?
Ma dove **vuole** andare a quest'ora Paola?
Stasera noi non **vogliamo** fare tardi.
Volete bere un caffè con noi?
Secondo me, loro non **vogliono** venire.

+ infinito

Dovere

Stasera **devo** andare a letto presto.
Per l'ospedale .... girare a destra.
Domani Gianfranco **deve** fare un viaggio importante.
Secondo me, **dobbiamo** girare a sinistra.
Quando **dovete** partire per gli Stati Uniti?
I ragazzi **devono** tornare a casa presto.

+ infinito

3 **Answer the questions, as shown.**

Perché non vieni con noi? *(dovere studiare)*
➪ *Perché devo studiare.*

1. Perché Gianna è triste? *(non potere venire a Genova con noi)*
2. Cosa fai sabato mattina? *(volere andare in montagna)*
3. A che ora dovete tornare a casa? *(dovere tornare alle sei)*
4. Vengono anche Dino e Matteo? *(purtroppo non potere)*
5. Perché Carla studia tante ore? *(volere superare l'esame)*
6. Ma dove va Patrizia? *(dovere tornare a casa presto)*

6 - 8

Il porto di Genova

D Dove abiti?

1 **Read the dialogue between Gianni and Carla and answer the questions.**

Gianni: Ciao Carla, come va?
Carla: Oh, ciao Gianni. Bene, grazie e tu?
Gianni: Bene. Senti, sabato sera organizzo una piccola festa a casa mia. Vieni?
Carla: Sabato sera... Sì, certo! ...Solo che non so dove abiti.
Gianni: In via Giotto, 44.
Carla: ...Via Giotto... Dov'è, in centro?
Gianni: No, è in periferia, vicino allo stadio. Se vieni in autobus, prendi il 60.
Carla: Ah, il 60. Ma è una casa o un appartamento?
Gianni: Un appartamento al quinto piano.
Carla: Con ascensore spero! E com'è?
Gianni: È comodo e luminoso, con un grande balcone.
Carla: Allora, sei fortunato. Il mio appartamento è piccolo: camera da letto, cucina e bagno. E pensare che pago 400 euro d'affitto. Tu, paghi molto?
Gianni: 650 euro al mese, ma ne vale la pena. Vedi, il palazzo è nuovo e moderno.

1. Dove abita Gianni?
2. Com'è il suo appartamento?
3. Com'è l'appartamento di Carla?
4. Quanto pagano d'affitto i due ragazzi?

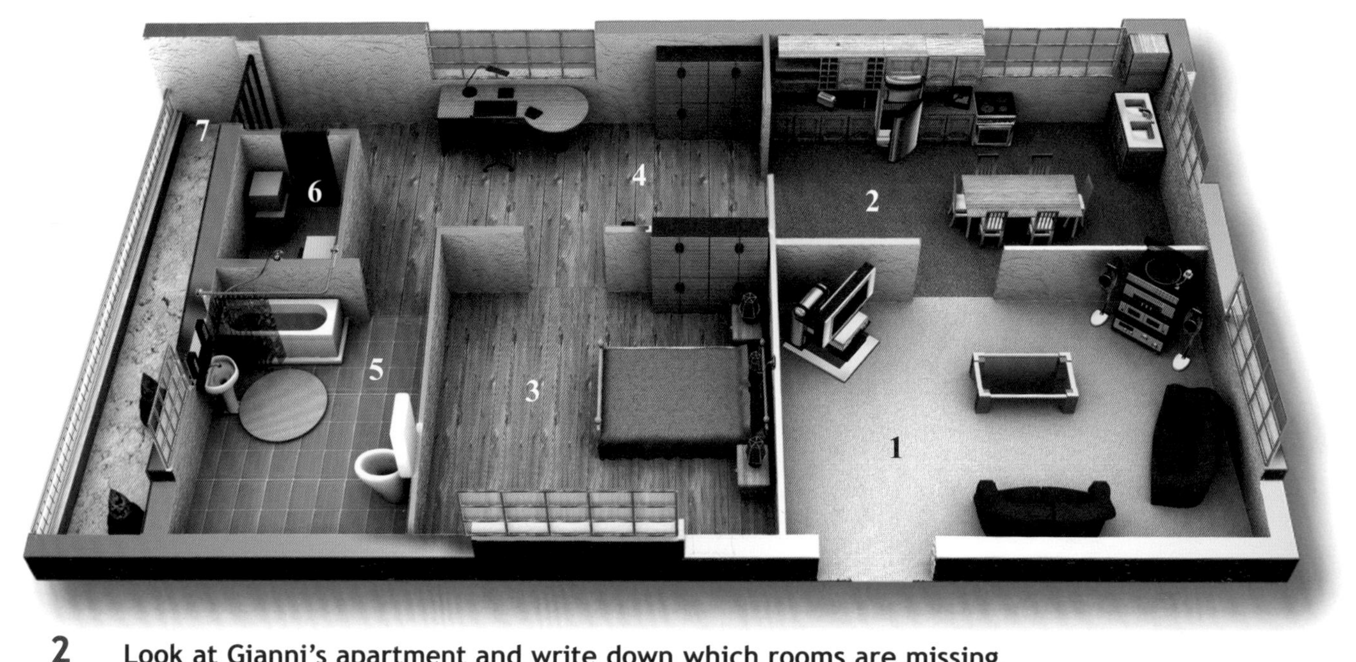

2 **Look at Gianni's apartment and write down which rooms are missing.**

1. soggiorno (salotto) 2. .... 3. ....
4. studio 5. .... 6. ripostiglio 7. balcone

3 **Describe your home or your ideal house: where it is, how many rooms it has, what floor it is located on, if it is big, comfortable, brightly lit, modern, etc.**

4 **Cardinal numbers 30 - 2.000**

30	trenta	300	trecento
31	trentuno	400	quattrocento
40	quaranta	500	cinquecento
50	cinquanta	600	seicento
60	sessanta	700	settecento
70	settanta	800	ottocento
80	ottanta	900	novecento
90	novanta	1.000	mille
100	cento	1.900	millenovecento
200	duecento	2.000	duemila

Ordinal numbers

1°	primo
2°	secondo
3°	terzo
4°	quarto
5°	quinto
6°	sesto
7°	settimo
8°	ottavo
9°	nono
10°	decimo

Note: from 11 onward all numbers end in *-esimo*: *undicesimo* (Appendix on page 141)

9

E Vado in Italia.

1 **Look at some sentences in this unit and then study the following table:**

"vado in Francia", "è in centro", "se vieni in autobus"

Le preposizioni (1)

vado (sono)	**in**	Italia, Spagna, Sicilia centro, ufficio, montagna, banca, città, farmacia, vacanza autobus, macchina, treno
	a	Roma, Parigi, Londra casa, letto, teatro, cena, scuola, una festa studiare, fare spese, ballare, lavorare, piedi
	al	cinema, mare, bar, ristorante, primo piano
	da	un amico, Antonio
vengo	**in**	Italia, Germania, aereo, treno
	a	Pisa, casa, teatro
	da	Siena, Napoli, Nicola, te, solo
parto	**da**	Torino, Perugia
	per	Ancona, Barcellona l'Italia, la Francia, gli Stati Uniti
	in	aereo, macchina, treno, autobus, ottobre

What other prepositions do you know?

2 **Answer the questions, as shown.**

Dove andate stasera? ***(cinema)*** ➪ *Andiamo al cinema.*

1. Con che cosa vai a Roma? *(aereo)*
2. Dove dovete andare domani? *(centro)*
3. Dove vanno i ragazzi a quest'ora? *(discoteca)*
4. Che fai adesso? Dove vai? *(andare casa)*
5. Da dove viene Lucio? *(Palermo)*
6. Dove va Franco? *(Antonio)*

10 - 13

F Che giorno è?

1 **Work in pairs. Listen to the dialogue and write down Silvia's plans on the 3rd, the 5th and the 6th of the month.**

19

	2 lunedì	3 martedì	4 mercoledì	5 giovedì	6 venerdì
7					
8					
9					
10					
11	spesa!				
12					
13					
14					
15					
16	lezione		appunta-		
17	d'inglese		mento con		
18			Luca		
19					
20	palestra				

7 sabato
gita in montagna
8 domenica
dormire!

Role-play

2 **Imagine a dialogue similar to the previous one and speak about what you do each day of the week.**

Look:
lunedì = lunedì prossimo
il lunedì = ogni lunedì

3 **Parliamo**

1. Hai abbastanza tempo libero o no e perché?
2. Come passi il tuo tempo libero? Dove vai quando esci?

14

G Che ora è? / Che ore sono?

1 Look at the watches.

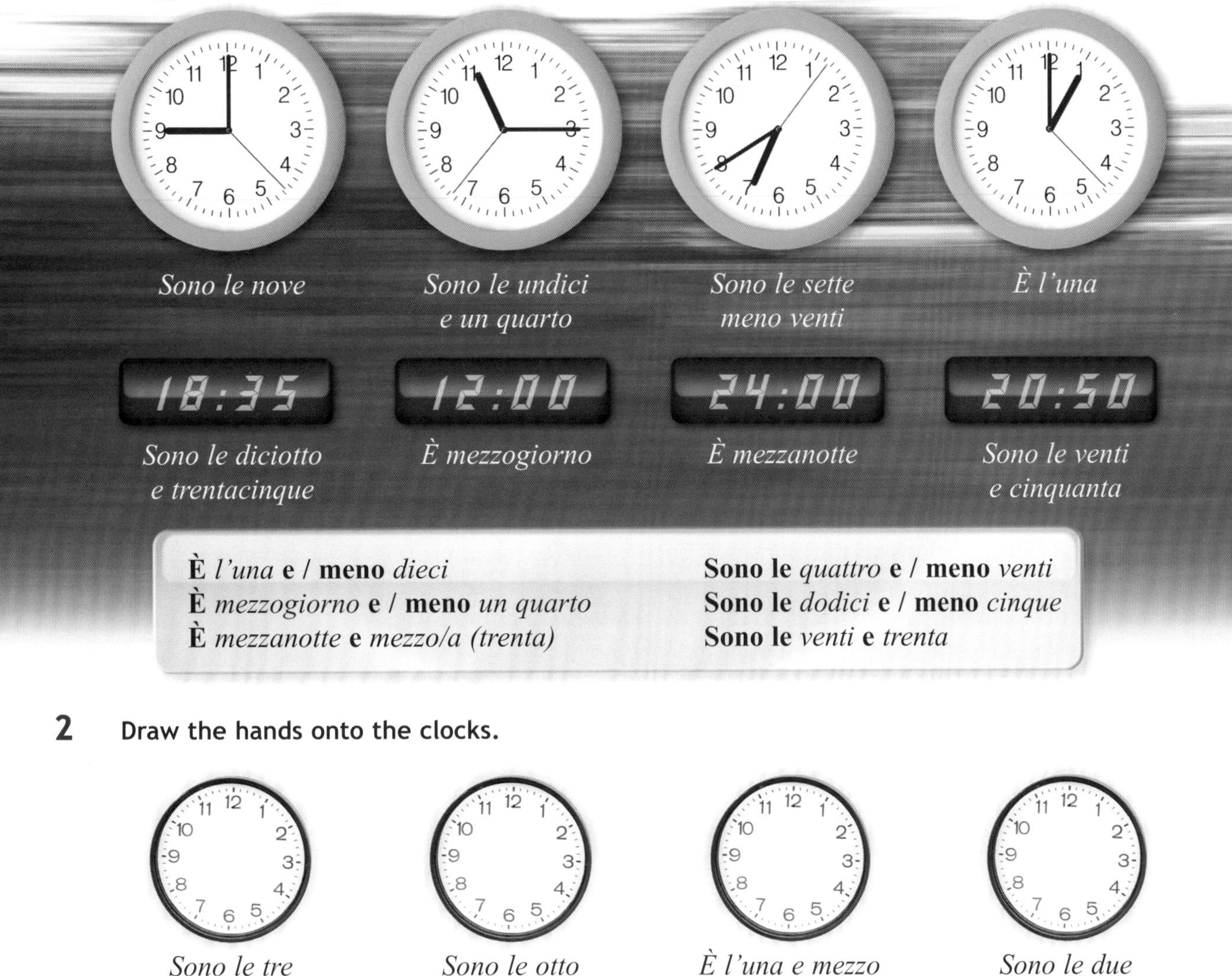

Sono le nove

Sono le undici e un quarto

Sono le sette meno venti

È l'una

Sono le diciotto e trentacinque

È mezzogiorno

È mezzanotte

Sono le venti e cinquanta

È *l'una* **e / meno** *dieci*
È *mezzogiorno* **e / meno** *un quarto*
È *mezzanotte* **e** *mezzo/a (trenta)*

Sono le *quattro* **e / meno** *venti*
Sono le *dodici* **e / meno** *cinque*
Sono le *venti* **e** *trenta*

2 Draw the hands onto the clocks.

Sono le tre e venti

Sono le otto meno un quarto

È l'una e mezzo

Sono le due meno cinque

3 Make questions and answers, as shown.

Scusi, signora, che ore sono? *(8:40)* ⇨
Sono le nove meno venti / Sono le otto e quaranta.

15 Test finale

I mezzi di trasporto urbano*

1 Read the passage and choose the correct sentences.

In Italia i mezzi di trasporto urbano più usati sono l'autobus e il tram, mentre a Roma, a Milano, a Napoli e a Genova c'è anche il metrò. È possibile comprare biglietti in tabaccheria* e al bar e con un biglietto usare più di un mezzo. Nelle stazioni della metropolitana, ma anche ad alcune fermate dell'autobus, ci sono macchinette automatiche per l'acquisto dei biglietti.

In genere i passeggeri* dell'autobus e del tram devono convalidare (timbrare) il biglietto all'inizio della corsa, mentre le macchinette per la convalida del biglietto del metrò si trovano nelle stazioni.

1. Hanno il metrò
   - ☐ a. molte città italiane
   - ☐ b. poche città
   - ☐ c. solo Roma
2. È possibile comprare il biglietto
   - ☐ a. in tabaccheria
   - ☐ b. sul metrò
   - ☐ c. su Internet
3. In genere un passeggero dell'autobus deve convalidare il biglietto
   - ☐ a. prima di salire
   - ☐ b. quando scende
   - ☐ c. appena sale

2 Match the descriptions to the photos. There is one extra photo!

1. autobus, 2. tram, 3. fermata dell'autobus, 4. stazione del metrò, 5. linea del metrò, 6. convalida del biglietto

3 Read the passage and check (✓) the information that was given in the text.

Molti italiani preferiscono usare l'auto e non i mezzi pubblici. Quindi, in alcune grandi città italiane il traffico è un problema grave. A causa delle tante macchine l'atmosfera non è tanto pulita ed è molto difficile trovare parcheggio*. Per fortuna, sempre più persone preferiscono usare il motorino e la bicicletta per andare a scuola, all'università o al lavoro. Infine, c'è anche il taxi (o tassì), un mezzo ovviamente più costoso.

- ☐ 1. Gli italiani usano l'auto per fare gite in campagna.
- ☐ 2. Non è facile trovare parcheggio nelle grandi città.
- ☐ 3. Molti italiani usano la bicicletta o il motorino.
- ☐ 4. Le grandi città hanno gravi problemi.
- ☐ 5. I mezzi di trasporto urbano offrono ottimi servizi.
- ☐ 6. Nelle grandi città non è facile trovare un taxi.

Una domenica senza macchine nel centro di Roma.

4 Parliamo

1. Come sono i mezzi di trasporto urbano del vostro paese/della vostra città? Da voi la gente usa più l'auto o i mezzi?
2. Tu quale mezzo usi per andare al lavoro, a scuola ecc.? Perché?
3. Sono costosi i mezzi pubblici nel vostro paese? Quanto costa un biglietto?

5 Scriviamo

1. Write a letter to an Italian friend and tell him/her how you spend your free time. *(60-80 words)*
2. Describe your house: where it is located, what it is like, etc. *(60-80 words)*

Glossary: urbano: city-, town-, urban; tabaccheria: tobacco shop; passeggero: passenger; parcheggio: parking, parking area.

Autovalutazione
What do you remember from units 1 and 2?

1. Do you know how to...? Match the two columns.

1. invitare
2. dire l'ora
3. accettare un invito
4. descrivere l'abitazione
5. rifiutare un invito

a. *Grazie, ma purtroppo non posso.*
b. *Andiamo insieme alla festa di Marco?*
c. *Ha un bagno e due camere da letto.*
d. *Certo, perché no?*
e. *Sono le tre e venti.*

2. Match the questions to the answers.

1. Di dove sei?
2. Quanti anni ha Paolo?
3. Dove abiti?
4. Che tipo è?
5. Dove lavori?

a. In via San Michele, 3.
b. È molto simpatico.
c. Di Roma.
d. In un'agenzia di viaggi.
e. 18.

3. Complete.

1. 4 preposizioni: ....
2. Prima del *sabato*: ....
3. Dopo *sesto*: ....
4. La prima persona singolare di *volere*: ....
5. La prima persona plurale di *fare*: ....

4. Find the six hidden words, horizontally and vertically.

v	i	o	s	e	s	t	o	p	u
e	x	o	c	c	h	i	o	z	e
n	a	f	f	i	t	t	o	a	n
g	r	a	d	u	e	m	i	l	a
o	e	c	o	m	o	d	o	s	t

Check the solutions on page 143.
Are you satisfied?

Il Ponte Vecchio,
Firenze

Per cominciare...

1 Work in pairs. Match the words to the pictures.

a. posta elettronica b. busta c. posta d. francobollo
e. buca delle lettere f. cellulare

2 What means of communication do you use most often?

3 Listen to the dialogue and indicate the sentences that were in it.

1. Nicola non riesce a parlare con la sua famiglia al telefono.
2. Orlando consiglia a Nicola di scrivere una lettera.
3. Orlando sa dov'è un internet point.
4. Nicola sa già come fare per mandare un pacco negli Stati Uniti.
5. Nicola ha molti problemi personali.
6. È possibile comprare francobolli in tabaccheria.

In this unit... (Glossary on page 157)

1. ...we learn how to ask and give information about the time, to locate objects, to express uncertainty and doubt, to express possession, how to thank and how to reply when being thanked, to write an e-mail or a letter, numbers from 1.000 to 1.000.000, the names of the months and the seasons
2. ...we learn about the preposizioni articolate *and their use, the* articolo partitivo, c'è/ci sono, *the* possessivi *(first part)*
3. ...we find information about postal and phone service in Italy

A Perché non scrivi un'e-mail?

1 Listen and read the dialogue to confirm your answers to the previous activity.

Nicola: Uffa, ho tanto da raccontare alla mia famiglia, ma quando chiamano loro dagli Stati Uniti io ho lezione e quando posso telefonare io loro dormono!

Orlando: Perché non scrivi un'e-mail?

Nicola: Giusto! Ma c'è un internet point qua vicino?

Orlando: Certo... è proprio accanto all'*Odeon*.

Nicola: Il cinema?

Orlando: Appunto.

Nicola: Perfetto! ...Ah no, aspetta, ho anche un altro problema: devo spedire dei libri alla mia ragazza.

Orlando: E perché è un problema?

Nicola: Perché non so come fare... dov'è la posta...

Orlando: Beh, se il pacco è piccolo, forse non è necessario andare alla posta. Vai in tabaccheria, compri una busta grande, i francobolli e poi imbuchi tutto in una cassetta per le lettere.

Nicola: Una busta? Mah... non so, sono quattro libri.

Orlando: Allora meglio un pacco, almeno credo. Devi andare alla posta e chiedere informazioni.

Nicola: Ma dov'è?

Orlando: La posta? ...È vicino al Duomo, in via delle Grazie.

2 Read the dialogue in pairs. Then answer the questions.

1. Qual è il problema di Nicola?
2. Dove si trova l'internet point che conosce Orlando?
3. Cosa deve fare Nicola per spedire una busta all'estero?
4. E per spedire 4 libri?

3 Complete these sentences from the dialogue with the missing prepositions.

...quando chiamano loro .... Stati Uniti...

...è proprio accanto .... *Odeon*.

...devo spedire .... libri alla mia ragazza.

...forse non è necessario andare .... posta.

...poi imbuchi tutto .... una cassetta per le lettere.

...È vicino .... Duomo, in via .... Grazie.

4 Work in pairs. Complete the table.

Le preposizioni articolate

a+il = **al** a+i = **ai** a+la = ... a+le = **alle** a+lo = **allo** a+gli = **agli** a+l' = ...	in+il = **nel** in+i = **nei** in+la = ... in+le = **nelle** in+lo = **nello** in+gli = ... in+l' = **nell'**
di+il = **del** di+i = ... di+la = **della** di+le = ... di+lo = **dello** di+gli = **degli** di+l' = **dell'**	da+il = **dal** da+i = **dai** da+la = **dalla** da+le = **dalle** da+lo = ... da+gli = **dagli** da+l' = **dall'**
su+il = **sul** su+i = ... su+la = **sulla** su+le = **sulle** su+lo = **sullo** su+gli = **sugli** su+l' = **sull'**	**But:** Arriva **con il** treno delle otto. (in spoken language you can also say ***col*** *treno*) Una cassetta **per le** lettere. **Fra gli** studenti c'è anche un brasiliano.

5 **Answer the questions, as shown.**

Dove vai? *(da/medico)* ⇨ *Dal medico.*

1. Da dove viene Alice?
(da/Olanda)

2. Marta, dove sono i guanti?
(in/cassetto)

3. Di chi sono questi libri?
(di/ragazzi)

4. Dove sono le riviste?
(su/tavolo)

5. Vai spesso al cinema?
(una volta a/mese)

6. Sai dove sono le chiavi?
(in/borsa)

1 - 5

6 **Notice the difference between *preposizioni semplici* and *preposizioni articolate*.**

<table>
<tr><td rowspan="7">va</td><td>in Italia,</td><td rowspan="7">e in particolare</td><td>nell'Italia del Sud.</td></tr>
<tr><td>in biblioteca,</td><td>nella biblioteca comunale.</td></tr>
<tr><td>a teatro,</td><td>al teatro Verdi.</td></tr>
<tr><td>in chiesa,</td><td>nella chiesa di S. Maria delle Grazie.</td></tr>
<tr><td>in banca,</td><td>alla Banca Commerciale.</td></tr>
<tr><td>in ufficio,</td><td>nell'ufficio del direttore.</td></tr>
<tr><td>in treno,</td><td>con il treno delle 10.</td></tr>
</table>

6 - 9

7 **Look at these sentences:**

Devo spedire dei libri alla mia ragazza. / Stasera vengono a cena degli amici.

What do you think the blue words in these two sentences mean? Look at the table which follows to check your answers.

Il partitivo (plurale dell'articolo indeterminativo)

un regalo	⇨	**dei** regali	*(alcuni regali)*
un amico	⇨	**degli** amici	*(alcuni amici)*
una ragazza	⇨	**delle** ragazze	*(alcune ragazze)*

but also: "Vado a comprare **del** latte." ⇨ *un po' di latte*
"Vuoi **dello** zucchero?" ⇨ *un po' di zucchero*

8 Work in pairs and build sentences with the *articolo partitivo*.

10

B A che ora?

1 Listen and match the short dialogues to the photos.

21

a.
- Scusi, a che ora arriva il prossimo treno da Firenze?
- Alle 14.45.
- E a che ora parte l'Intercity per Milano?
- Alle 15.
- Grazie!
- Prego!

b.
- Mauro, sai a che ora chiudono le banche?
- Non sono sicuro, ma penso all'una e mezza.
- E sono aperte anche il pomeriggio?
- Credo dalle tre alle cinque.

c.
- Scusi, a che ora posso trovare il dottor Riotti?
- La mattina dalle 9 alle 13.
- E nel pomeriggio?
- Viene verso le 16 e rimane fino alle 20.

ISTITUTO BANCARIO
SAN PAOLO DI TORINO

2 Role-play

▷ ***A*: ask your partner:**

- *a che ora esce di casa la mattina*
- *a che ora pranza/cena*
- *quando guarda la tv*
- *a che ora esce il sabato sera*
- *qual è l'orario di apertura dei negozi nel suo paese*

▷ ***B*: answer *A*'s questions.**

3 **Look at the photos and say what time certain shops and services in Italy open and close.**

a. biblioteca

b. negozio di abbigliamento

c. farmacia

d. ufficio postale

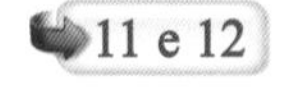
11 e 12

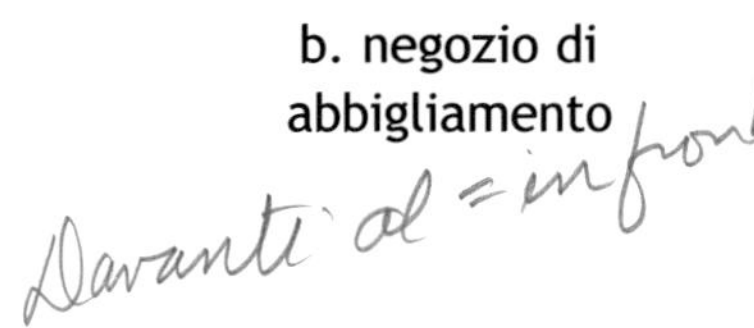

C Dov'è?

1 **Work in pairs. Match the sentences to the images.**

1. Dove sono gli abiti? - Dentro l'armadio.
2. Dov'è il televisore? - Accanto al camino.
3. Le sedie? - Intorno al tavolo. **a**
4. Dov'è la libreria? - È dietro la scrivania.
5. Il tavolino? - Davanti alla lampada.
6. Dov'è la maschera? - È sulla parete.
7. Il divano? - Tra le poltrone.
8. Dov'è il tappeto? - Sotto il tavolino.
9. Il quadro? - Sopra il camino.
10. Dov'è la pianta? - Vicino alla finestra.

a b c d e f g h i l

2 **Look at the photo and choose the right words for each sentence.**

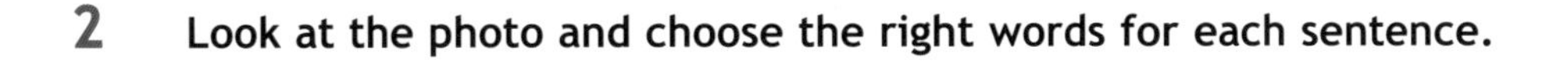

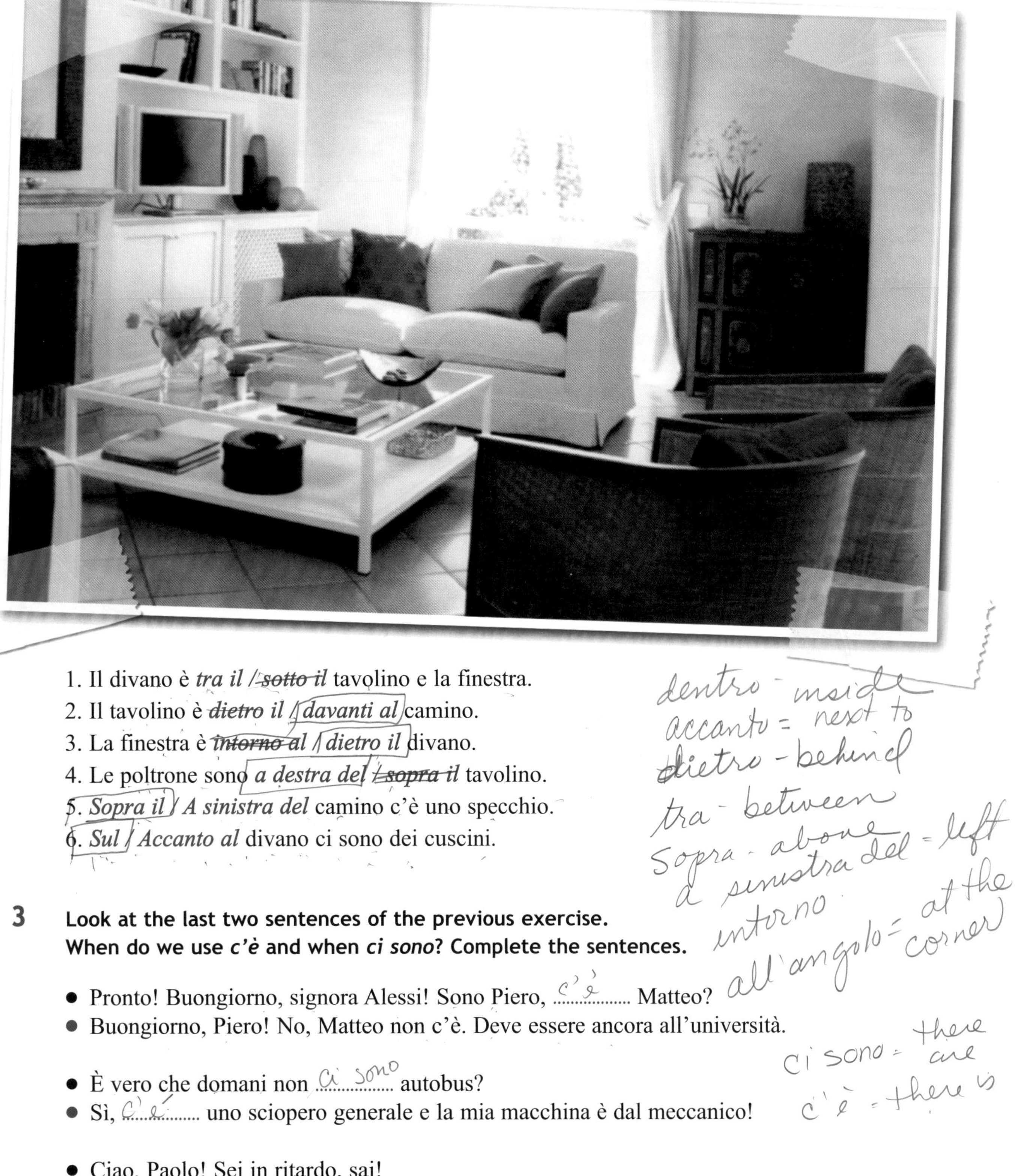

1. Il divano è *tra il* / *sotto il* tavolino e la finestra.
2. Il tavolino è *dietro il* / *davanti al* camino.
3. La finestra è *intorno al* / *dietro il* divano.
4. Le poltrone sono *a destra del* / *sopra il* tavolino.
5. *Sopra il* / *A sinistra del* camino c'è uno specchio.
6. *Sul* / *Accanto al* divano ci sono dei cuscini.

3 **Look at the last two sentences of the previous exercise.**
When do we use *c'è* and when *ci sono*? Complete the sentences.

- Pronto! Buongiorno, signora Alessi! Sono Piero, ... Matteo?
- Buongiorno, Piero! No, Matteo non c'è. Deve essere ancora all'università.

- È vero che domani non .... autobus?
- Sì, ... uno sciopero generale e la mia macchina è dal meccanico!

- Ciao, Paolo! Sei in ritardo, sai!
- Sì, lo so, ma oggi .... veramente un traffico tremendo: ci sono troppe auto in centro.

13 - 16

4 **Look at the two pictures and say what the differences are. Example:** "Nell'immagine *A* il vaso è a destra del divano, mentre nella *B* è a sinistra", "Nell'immagine *B* c'è una finestra mentre nella *A* non c'è".

D Mah, non so...

1 **Work in pairs. Can you put the dialogue in order?**

1	*Mario:*	C'è qualcosa di interessante in tv stasera?
	Mario:	Probabilmente alle 9. Ma su quale canale?
	Mario:	Andiamo da Stefano a vedere la partita?
	Mario:	È vero! C'è Juve-Milan! Sai a che ora comincia?
	Gianni:	Beh, è ancora presto, magari più tardi...
	Gianni:	Non sono sicuro. Penso alle 8... o è alle 9?
	Gianni:	Mah, non so! C'è una partita di calcio, almeno credo.
	Gianni:	Forse su Canale 5.

2 **What expressions do Mario and Gianni use to express uncertainty and doubt?**

....

....

Role-play

3 ▷ ***A*: ask your partner:**

- *se vuole uscire con te domani*
- *a che ora pensa di tornare a casa*
- *quanto costa un caffè in Italia*
- *che regalo vuole per il suo compleanno*

▷ ***B*: answer *A*'s questions expressing uncertainty and doubt.**

17

E Di chi è?

1 **Look at the drawing.**

2 **Look at the table and complete the sentences.**

I possessivi (1)

io tu lui/lei	il mio il tuo compleanno il suo	la mia la tua macchina la sua

The rest regarding possessives in Unit 6 (*The Italian Project 1b*).

1. - Carlo, è tuo questo giornale? - Sì, è ....
2. Giulia, posso prendere il .... motorino domani?
3. Marta viene con il .... fidanzato stasera.
4. Non conosco bene Pietro, perciò non vado alla .... festa.
5. Quanto è bella la .... casa, Gianni! Però cinquecentomila euro sono molti!
6. In agosto vado per un mese da una .... amica in Sicilia.

3 **Look at the drawings and with the use of *possessivi*, build sentences like** "La tua penna è blu".

macchina / nuova

televisore / grande

regalo / bello

ragazza / italiana

scrivania / vecchia

appartamento / in centro

18

F Grazie!

22

1 Listen to the short dialogues.

a.
- Scusi, signora, sa a che ora parte il treno?
- Fra dieci minuti, credo.
- Grazie mille!
- Prego!

b.
- Giulia, puoi portare una delle due valigie?
- Certo, nessun problema.
- Grazie!
- Figurati!

c.
- Ecco gli appunti per il tuo esame.
- Grazie tante, Silvia!
- Di niente!

2 Complete the following short dialogues.

- Scusi, signore, sa dov'è la Banca Intesa?
- Sì, è in via Manzoni, accanto alla posta.
- ....
- ....

- ....?
- Sono le 9.
- Grazie!
- ....

- Scusa, a che ora aprono i negozi oggi?
- ....
- ....
- Non c'è di che!

Ringraziare	Rispondere ad un ringraziamento
Grazie!	*Prego!*
Grazie tante!	*Di niente!*
Grazie mille!	*Figurati! (informale)*
Ti ringrazio!	*Non c'è di che!*

19

G Vocabolario e abilità

1 **The months and seasons. Try to complete the table with the months given.**

agosto *dicembre* *aprile* *ottobre*

20

2 **Numbers from 1.000 to 1.000.000. Complete the table.**

1.000 mille
.... millenovecentonovanta
2.000 duemila
6.458 seimilaquattrocentocinquantotto
.... diecimilacinquecento
505.000 cinquecentocinquemila
1.000.000 un milione
4.300.000 quattro milioni trecentomila

3 **Give the information requested, as shown.**

Il prezzo del nuovo modello della *Lancia*? *(19.500 €)* ➪ diciannovemilacinquecento euro.

1. L'anno della scoperta dell'America? *(1492)*
2. Gli abitanti di Roma? *(2.900.000)*
3. Il prezzo di uno scooter *Aprilia*? *(2.800 €)*
4. L'anno della tua nascita? *(...)*
5. Il costo di una villa sul lago di Como? *(900.000 €)*
6. Il prezzo dell'auto che sogni di comprare? *(32.900 €)*

21

23 **4** **Ascolto** Workbook (p. 115)

5 **Scriviamo**

Imagine you are Nicola, the main character in the first dialogue of the unit. Write an e-mail to your family to explain why you prefer e-mail to telephone and briefly give your news. *(60-70 words)*

Test finale

Scrivere un'e-mail o una lettera (informale/amichevole)...

- *Caro (Carissimo) Alberto,*

....

- *Ti bacio! / Ti abbraccio*
- *Tanti baci! / Bacioni! / Saluti*
- *Il/La tuo/a amico/a*
- *A presto!*
- *Tuo/a*

Giulio/a

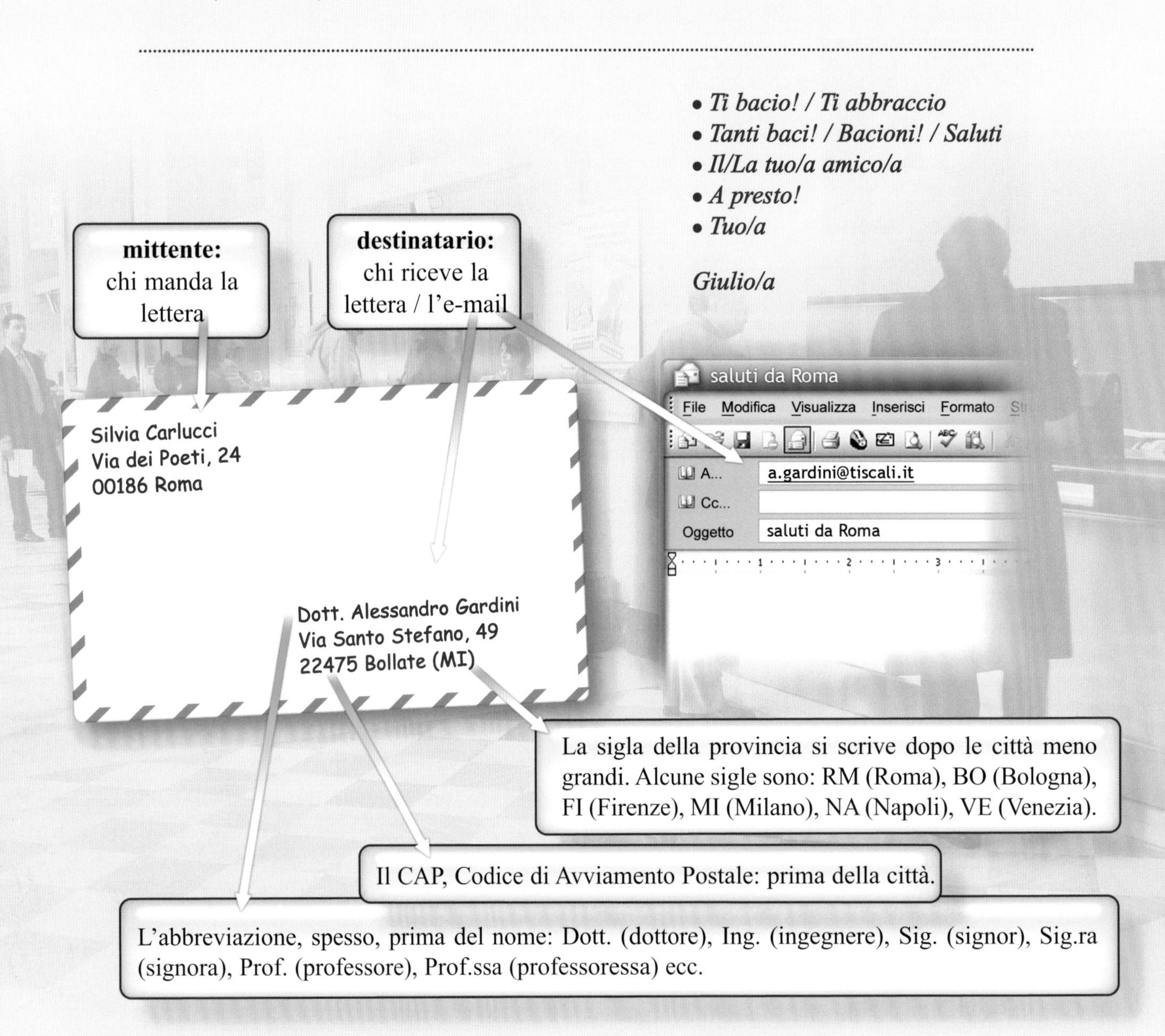

La sigla della provincia si scrive dopo le città meno grandi. Alcune sigle sono: RM (Roma), BO (Bologna), FI (Firenze), MI (Milano), NA (Napoli), VE (Venezia).

Il CAP, Codice di Avviamento Postale: prima della città.

L'abbreviazione, spesso, prima del nome: Dott. (dottore), Ing. (ingegnere), Sig. (signor), Sig.ra (signora), Prof. (professore), Prof.ssa (professoressa) ecc.

Alcune espressioni utili per scrivere

Esprimere conseguenza:
*Devo, **quindi**... / Per riuscire, **dunque**, a...*

Esprimere un'opposizione:
*Tu, **invece**, credi che... / Lui, **comunque**, non vuole... / **Al contrario**, secondo me...*

Fare un'aggiunta:
***Inoltre**, voglio dire... / **In più**, è importante... / **Non solo**..., **ma**... / **D'altra parte**,...*

Concludere una lettera, un argomento:
***Concludendo**,... / **Riassumendo**,... / **Infine**,... / **In altri termini**,... / **Così**,... / **In breve**,... /*

...e telefonare.

In Italia per fare una chiamata urbana o interurbana* bisogna digitare prima il prefisso della città desiderata. Il prefisso di Milano è 02, di Roma 06, di Bologna 051 e così via. Per telefonare dall'estero in Italia bisogna fare lo 0039, il prefisso della città e il numero della persona desiderata.
Generalmente, per non disturbare, un italiano evita di telefonare a casa d'altri dopo le 10 di sera e prima delle 8 del mattino.
L'Italia è tra i paesi con la più alta percentuale* di cellulari* nel mondo: quasi tutti gli italiani hanno il telefonino, che usano molto spesso. Inoltre, seguono molto da vicino tutte le nuove tecnologie relative alle telecomunicazioni.
Come in tanti altri paesi, ci sono alcuni numeri utili sia ai cittadini italiani che ai turisti. I numeri più importanti sono:

Answer the questions.

1. Qual è il prefisso di Milano per chi chiama dall'estero?
2. Quale numero bisogna chiamare quando c'è un incendio?
3. Ci sono differenze o somiglianze tra i servizi telefonici e le abitudini relative al telefono in Italia e nel vostro paese?

Per telefonare da una cabina telefonica* è necessaria una scheda telefonica, che è possibile comprare in tabaccheria o dal giornalaio.

Glossary: urbana/interurbana: local call/long-distance call; percentuale: percentage; cellulare/telefonino: mobile phone; emergenza: emergency; vigili del fuoco: fire brigade; infanzia: childhood; cabina telefonica: telephone booth.

Autovalutazione
What do you remember from units 2 and 3?

1. Do you know how to...? Match the two columns.

1. chiedere l'ora
2. esprimere incertezza, dubbio
3. rispondere ad un ringraziamento
4. chiudere una lettera
5. ringraziare

a. *Grazie tante del regalo!*
b. *Forse vengo anch'io.*
c. *Ma figurati!*
d. *Scusi, che ore sono?*
e. *Tanti saluti!*

2. Match the sentences.

1. Vuoi venire con noi al cinema?
2. Quando posso trovare l'avvocato?
3. Dov'è il bagno?
4. Com'è la casa di Stella?
5. Ti ringrazio!

a. Non c'è di che!
b. Bella, grande e luminosa.
c. Ogni giorno dalle 10 alle 18.
d. Con piacere!
e. Di fronte alla camera da letto.

3. Complete.

1. Due mezzi di trasporto urbano: ....
2. Dopo *dicembre*: ....
3. Il contrario di *sotto*: ....
4. La prima persona singolare di *tenere*: ....
5. La prima persona plurale di *volere*: ....

4. Find the odd word in each group.

1. posta festa francobollo lettera
2. appartamento piano intorno affitto
3. mese stagione estate mezzogiorno
4. mittente cellulare telefonare prefisso
5. armadio tavolo poltrona soggiorno

Check the solutions on page 143. Are you satisfied?

Piazza del Campo, Siena

Per cominciare...

1 **Look at these photos. Which activities do you prefer doing at the weekend?**

2 **Listen to the dialogue once. What activity are the two people talking about?**

3 **Listen to the dialogue again and choose the right sentence.**

1. Nel fine settimana Enzo e Lidia
   - a. hanno fatto le stesse cose
   - b. hanno fatto cose diverse
   - c. sono andati insieme al cinema

2. È stato un fine settimana tranquillo quello di
   - a. Enzo
   - b. Lidia
   - c. tutti e due

In this unit... **(Glossary on page 159)**

1. *...we learn to talk about something that happened in the past, to order at a cafe, to express preference*
2. *...we learn about the* passato prossimo, *the adverbs of time with the* passato prossimo, ci
3. *...we find information about Italian cafes and Italian coffee*

A Come hai passato il fine settimana?

1 **Read and listen to the passage to check the answers to the previous activity.**

Enzo: Ciao Lidia, come va?

Lidia: Non c'è male, grazie. E tu?

Enzo: Abbastanza bene. Allora... come hai passato il fine settimana?

Lidia: Mah, niente di speciale, le solite cose.

Enzo: E dai, racconta.

Lidia: Dunque... sabato sono andata con Gianna in centro... a fare spese. Poi abbiamo bevuto un caffè all'*Antico Caffè Greco* e verso le 9 siamo andate a mangiare una pizza con degli amici.

Enzo: E ieri?

Lidia: Ieri, niente, sono andata da una mia collega. Abbiamo cenato e abbiamo guardato un film in televisione. Be'... non è stato tanto divertente devo dire. Comunque, sono rimasta fino a mezzanotte. E tu, cosa hai fatto di bello? Sei uscito con i ragazzi alla fine?

Enzo: Sì... sabato sera siamo andati in discoteca. Abbiamo ballato un sacco e siamo tornati dopo le tre!

Lidia: Allora, ieri non sei uscito, immagino...

Enzo: Invece, sì! Nel pomeriggio sono andato da Paola a guardare la tv. Verso le otto, però, lei ha avuto l'idea di andare al cinema e... così siamo usciti in gran fretta. Pensa che siamo entrati in sala un minuto prima dell'inizio del film!

Lidia: Dai! Un fine settimana intenso, insomma.

Enzo: Beh, sì! Ma anche divertente...!

2 **Read.**

Role play as Lidia and Enzo. Read the dialogue.

3 **Answer the questions.**

1. Lidia e Gianna cosa hanno fatto sabato?
2. Cosa ha fatto Lidia domenica?
3. Dov'è andato sabato sera Enzo?
4. Cosa ha fatto, invece, Enzo domenica sera?

4 **The following passage is a summary of the introduction dialogue. Complete it with the verbs given.**

Sabato Lidia è ....*uscita*.... insieme a Gianna. Sono .... a fare spese e poi hanno .... un caffè all'*Antico Caffè Greco*. Domenica, Lidia è .... da una sua collega ed è .... fino a mezzanotte.

Sabato sera, Enzo e i suoi amici sono .... in discoteca. Sono .... a casa dopo le tre. Domenica Paola ha .... l'idea di andare al cinema. Sono .... in sala poco prima dell'inizio del film!

andati
bevuto
uscita
andata
entrati
rimasta
tornati
avuto
andate

5 **Work in pairs. Look at these sentences, taken from the introduction dialogue, with the verbs in the *passato prossimo*:**

come **hai passato** il fine settimana?
abbiamo guardato un film...
abbiamo ballato un sacco...

sabato **sono andata**...
ieri non **sei uscito**...
siamo entrati in sala...

When do you think we use the *passato prossimo*? How is it formed?

Look at the first table on the next page and confirm your answers about how the *passato prossimo* is formed.

Antico Caffè Greco,
Roma

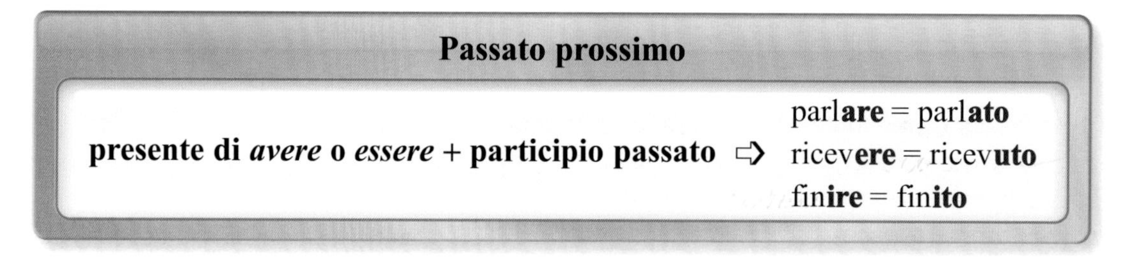

Passato prossimo

presente di *avere* o *essere* + participio passato ⇨ parl**are** = parl**ato**, ricev**ere** = ricev**uto**, fin**ire** = fin**ito**

6 Look at the table and make sentences, as shown.

ausiliare *avere* + participio passato		
ho	parl**ato**	di te con Gianna.
hai	mangi**ato**	la pasta al dente?
ha	ricev**uto**	due cartoline.
abbiamo	vend**uto**	la vecchia casa.
avete	cap**ito**	il dialogo?
hanno	dorm**ito**	molte ore.

1. Un anno fa *(io-visitare)* San Pietro.
2. Carla e Pina *(lavorare)* fino alle cinque.
3. Due giorni fa Giulia *(vendere)* la sua macchina.
4. Letizia, dove *(comprare)* questo vestito?
5. Come mai *(voi-pensare)* di dare una festa?

Ieri ***(io-mangiare)*** la pizza.
⇨ *Ieri ho mangiato la pizza.*

1 e 2

7 Look at the table and make sentences aloud.

ausiliare *essere* + participio passato		
sono	and**ato/a**	a teatro ieri.
sei	torn**ato/a**	dal lavoro?
è	entr**ato/a**	in un negozio.
siamo	part**iti/e**	un mese fa.
siete	usc**iti/e**	l'altro ieri?
sono	sal**iti/e**	al quarto piano.

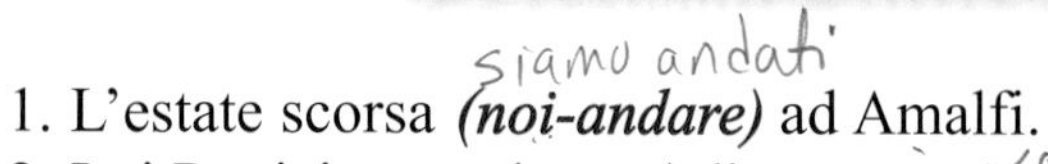

1. L'estate scorsa ***(noi-andare)*** ad Amalfi.
2. Ieri Patrizia non ***(uscire)*** di casa.
3. Stefania ***(partire)*** ieri sera per la Germania.
4. A che ora ***(tornare)*** ieri notte, Carla?
5. Se non sbaglio, ***(io-arrivare)*** alle 9 in punto.

Amalfi

3 e 4

B Cosa ha fatto ieri?

Role-play

1 **The police suspect Luigi about a small theft that occurred on the 12th of December. One of you (*A*) is the policeman who is trying to see what is written in the man's agenda. Another (*B*) is Luigi answering questions like:** *cosa ha fatto alle...? / dove è andato...? / con chi...? / che cosa avete fatto...? / a che ora ha/è...?*

lunedì 12 Dicembre

10.10 andare all'Università
12.00 parlare con il Prof. Berti
14.00 mangiare alla mensa insieme a Gino
15.30 incontrare Nina al bar
17.00 andare dal dentista
18.20 chiamare Giorgio per parlare del test
18.30-20.00 studiare
20.30 incontrare Nina

2 **Look at:** *"ho incontrato Nina"*, *"sono andato dal dentista"*. **What do you think the choice of auxiliary depends on? Look at the table.**

essere o *avere*?

a. Verbs that take *essere* as an auxiliary:

1. many verbs of movement: *andare*, *venire*, *partire*, *tornare*, *entrare*, *uscire*, *ritornare*, *rientrare*, *giungere*, etc;
2. many verbs of state in a place: *stare*, *rimanere*, *restare*, etc;
3. some intransitive verbs (which do not have an 'object'): *essere*, *succedere*, *morire*, *nascere*, *piacere*, *costare*, *sembrare*, *servire*, *riuscire (a)*, *diventare*, *durare*, etc;
4. reflexive verbs (*The Italian Project 1b*, Unit 9): *alzarsi*, *svegliarsi*, *lavarsi*, etc.

b. Verbs that take *avere* as an auxiliary:

1. transitive verbs (which may have an 'object'): *chiamare* (someone), *mangiare* (something), *dire* (something to someone), etc;
2. some intransitive verbs: *dormire*, *ridere*, *piangere*, *camminare*, *lavorare*, etc.

c. Verbs that take either *essere* or *avere* as an auxiliary:

cambiare: a. *Gianna ha cambiato macchina* (Gianna has changed cars), but b. *Gianna è cambiata ultimamente* (Gianna has changed lately)
passare: a. *Abbiamo passato un mese in montagna* (We have spent a month in the mountains), but b. *Sono passate già due ore* (Two hours have already passed)
finire: a. *Ho appena finito di studiare* (I have just finished studying), but b. *La lezione è finita un'ora fa* (The lesson finished a half an hour ago)
and others, such as *scendere*, *salire*, *cominciare*, *correre*, etc.

5 e 6

3 **Let's read the entire dialogue between Luigi and the policeman.**

agente: Cosa ha fatto il 12 dicembre?
Luigi: Se ricordo bene... quel giorno sono arrivato presto all'università e... sono subito entrato nell'aula.
agente: E poi?
Luigi: **Poi**... intorno alle 2, sono andato alla mensa, come sempre. ... Ah, no, **prima** ho parlato con il prof. Berti.
agente: Poi cosa ha fatto?
Luigi: Ho mangiato e sono andato al bar per incontrare Nina, la mia ragazza. Abbiamo bevuto un caffè e dopo un'ora e mezza circa, cioè verso le cinque, sono andato dal dentista. Poi sono tornato a casa.
agente: E lì, cosa ha fatto?
Luigi: Niente di speciale... ho studiato un po' e **più tardi** è venuta anche Nina. Abbiamo ordinato una pizza e abbiamo guardato la tv.
agente: E dopo, cos'è successo dopo?
Luigi: Allora... dopo... abbiamo parlato un po' e **alla fine** siamo andati a dormire.

4 **With the help of the drawings and these expressions, talk about another of Luigi's days.**

Raccontare

anzitutto... / per prima cosa...	*dopo le due...*	*più tardi...*
prima... / prima di...	*poi... / dopo...*	*così... / alla fine...*

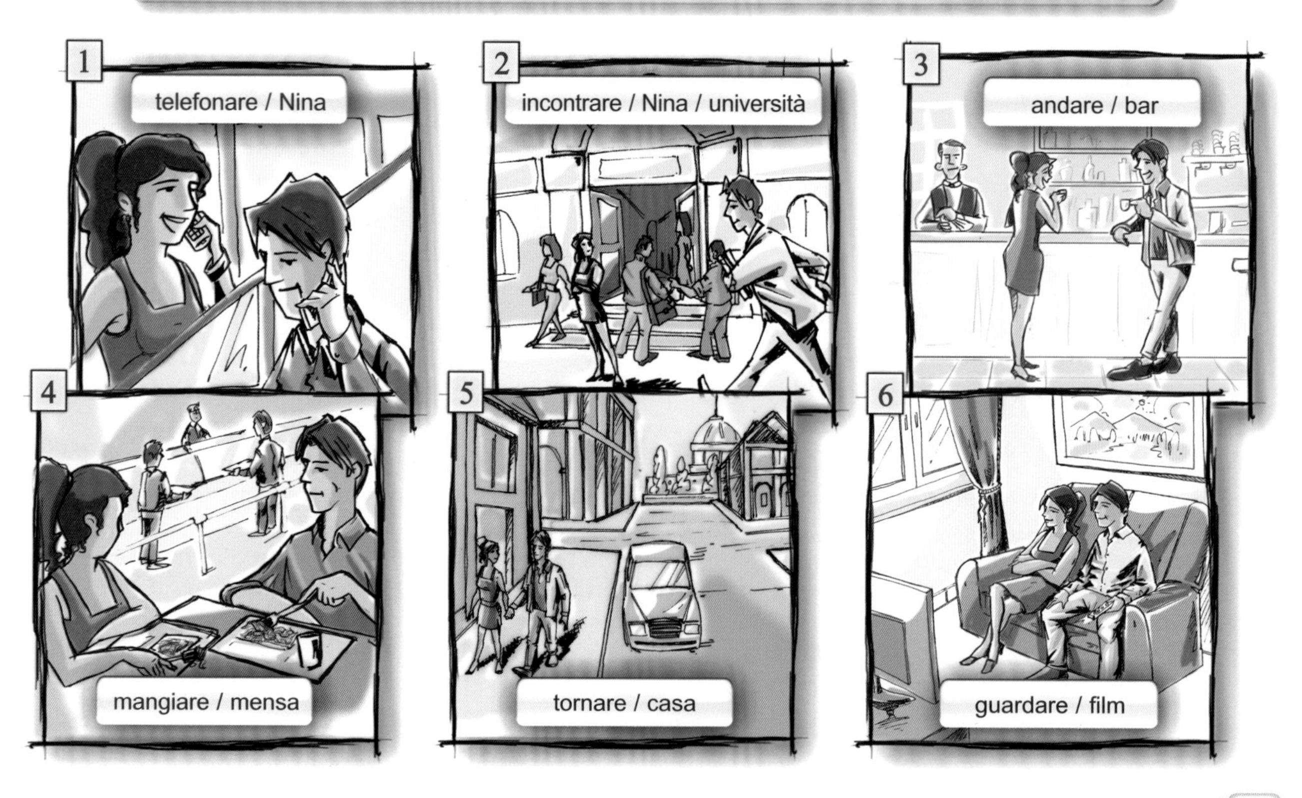

7

5 **We saw some irregular *participi passati* in the dialogue in point 3, such as "fatto", "venuta" and "successo". What is their *infinito*?**

6 **Work in pairs. Match the verb to the *infiniti* and the *participi passati*. Let's see who finishes first!**

Participi passati irregolari

dire	*(ha)* ***corretto***	chiedere	*(ha)* ***chiesto***
fare	*(ha)* ***detto***	rispondere	*(ha)* ***proposto***
scrivere	*(ha)* ***fatto***	proporre	*(è)* ***rimasto***
correggere	*(ha)* ***letto***	vedere	*(ha)* ***risposto***
leggere	*(ha)* ***scritto***	rimanere	*(ha)* ***visto***
prendere	*(ha)* ***acceso***	conoscere	*(ha)* ***spento***
scendere	*(ha)* ***chiuso***	vincere	*(ha)* ***vinto***
spendere	*(ha)* ***deciso***	piacere	*(è)* ***piaciuto***
chiudere	*(ha)* ***preso***	correre	*(ha)* ***conosciuto***
accendere	*(è/ha)* ***sceso***	spegnere	*(ha)* ***bevuto***
decidere	*(ha)* ***speso***	bere	*(è/ha)* ***corso***
morire	*(ha)* ***aperto***	mettere	*(ha)* ***discusso***
offrire	*(è)* ***morto***	promettere	*(ha)* ***messo***
aprire	*(ha)* ***offerto***	succedere	*(ha)* ***promesso***
soffrire	*(ha)* ***sofferto***	discutere	*(è)* ***successo***
venire	*(è)* ***stato***		
essere/stare	*(ha)* ***perso***	*The complete list of irregular* participi passati *in Appendix on page 142.*	
vivere	*(ha)* ***scelto***		
perdere	*(è)* ***venuto***		
scegliere	*(è/ha)* ***vissuto***		

7 **Make sentences, as shown.**

(tu-leggere) il giornale oggi? ➪ *Hai letto il giornale oggi?*

1. Per arrivare in tempo all'appuntamento *(prendere)* un taxi.
2. Pierino, che regalo *(chiedere)* per il tuo compleanno?
3. Marco *(dire)* una piccola bugia alla sua ragazza.
4. Valeria e io *(rimanere)* a casa tutto il giorno.
5. Chi *(vincere)* il campionato l'anno scorso?
6. Voi dove *(conoscere)* la signora Rossi?

8 e 9

C Ha già lavorato...?

1 Work in pairs. The following dialogue is a job interview between Maria Grazia and the director of a travel agency. Put it in orden and then answer the questions.

1	*Direttrice:*	Signorina Grandi, vedo che è laureata in Economia e Commercio. Quando ha finito l'università?
	Direttrice:	Ah, e per quanto tempo?
	Maria Grazia:	L'anno scorso.
	Direttrice:	Ha già lavorato in un'agenzia di viaggi, vero?
	Maria Grazia:	Sono andata via nel settembre scorso... quindi ci ho lavorato in tutto per 8 mesi.
	Maria Grazia:	Sì, ma non ho ancora trovato niente di interessante.
	Direttrice:	Ho capito... e da allora cerca lavoro?
	Maria Grazia:	Sì, certo. La prima volta tre anni fa, a Padova. Poi l'anno scorso ho lavorato part-time proprio qui a Milano.

1. Quando ha finito l'università Maria Grazia?
2. Quando e dove ha lavorato?
3. Quando ha lasciato il lavoro precedente?
4. Perché non ha ancora trovato lavoro?

2 Look at the table and do the role play.

Quando...?

un'ora fa / tre giorni fa / qualche mese fa / molti anni fa / tempo fa

martedì scorso / la settimana scorsa / il mese scorso / nel dicembre scorso / l'estate scorsa / l'anno scorso

Data precisa

giorno:	è partito	**il** 18 gennaio / giovedì scorso
	parte	**il** 20 marzo / domenica prossima
mese:	è tornato	**nel** novembre scorso
	torna	**a** / **in** giugno, settembre
anno:	è nato	**nel** 1982, **a** febbraio
	è nato	**nel** febbraio del 1982

Role-play

▷ *A*: ask your partner when:

▷ *B*: answer *A*'s questions.

- *è nato*
- *ha finito la scuola (elementare)*
- *è stata l'ultima volta che è andato in vacanza*
- *ha cominciato a studiare l'italiano*

In the end, *A* must report *B*'s answers to the class ("è nato nel..." etc.).

3 Working in pairs, notice these events and exchange information, as shown:
-*"Quando è morto Federico Fellini?"* -*"Nel 1993"*.

1° gennaio 2002: l'Euro entra in circolazione

1905: Guglielmo Marconi inventa la radio

febbraio 2006: Torino ospita i Giochi Olimpici invernali.

marzo 1998: Roberto Benigni trionfa a Hollywood con *La vita è bella*

2 giugno 1946: l'Italia diventa una repubblica

febbraio 1993: Laura Pausini vince il Festival di Sanremo (Sezione *Nuove Proposte*)

4 In the previous dialogue (C1) we saw the following sentence: "*ci* ho lavorato per...", "ha *già* lavorato in un'agenzia...", "non ho *ancora* trovato...". Look at the position of the words in italics.

5 Look at the two tables and make at least two similar sentences.

Ci

- Vai alla festa di Mauro?	- Sì, **ci** vado.
- Siete andati a teatro?	- Sì, **ci** siamo andati.
- Sei mai stato in Spagna?	- No, non **ci** sono ancora stato.
- Stasera vieni con noi in discoteca?	- No, non **ci** posso venire.

Avverbi con il passato prossimo

Eugenio		*è*	**sempre**	*stato*	gentile con me.
Rita,		*hai*	**già**	*finito*	di studiare?
Gianluca		*è*	**appena**	*uscito*	di casa.
Lei	***non***	*ha*	**mai**	*parlato*	di questa cosa.
Dora	***non***	*è*	**ancora**	*arrivata*	in ufficio.
Alfredo	***non***	*ha*	**più**	*detto*	niente.
furthermore:		*Ho*	**anche**	*dormito*	un po'.
		È	*venuta*	**anche**	Alice.

....

....

10 e 11

D Cosa prendiamo?

25 **1** **Listen to the dialogue without reading the passage and put the illustrations in order.**

Nadia: Dunque, cosa prendiamo?
Claudio: Non so... io ho un po' di fame. ...Scusi, possiamo avere il listino... il menù?
cameriere: Ecco a voi.
Claudio: Grazie! Vediamo...
Silvia: Io so già cosa prendo... vorrei un cappuccino.
Nadia: Ma come?! Il cappuccino dopo pranzo?!
Silvia: È che oggi ho dovuto pranzare presto, più di due ore fa. Tu, Claudio... hai deciso?
Claudio: Mah, non so... prendo un tramezzino. No, anzi, meglio se prendo un cornetto... Cameriere!
cameriere: Prego.
Nadia: Dunque, un cappuccino per lei, un caffè macchiato per me e una bottiglia d'acqua minerale. Claudio, tu alla fine cosa prendi?
Claudio: Per me un panino con prosciutto crudo e mozzarella e una lattina di Coca cola.
cameriere: D'accordo, grazie!
Silvia: Claudio, ehh... sei proprio un tipo deciso!!!

2 **Listen to the dialogue again and answer:**

a. Cosa hanno preso le due ragazze?

b. Cosa ha preso Claudio?

3 **Work in pairs: first read the dialogue and then the price list. How much did each of the people spend?**

caffè GIOLITTI

CAFFETTERIA	
Caffè espresso	1,40
Caffè corretto	1,60
Caffè espresso decaffeinato	1,60
Cappuccino	1,60
Caffelatte - Latte	1,30
Tè - Camomilla	1,60
Cioccolata in tazza - con panna	1,70
Caffè - tè freddo	1,70

GELATI - DOLCI	
Coppa Giolitti	6,50
Torta al caffè	5,40
Tiramisù	5,20
Zabaione	5,20
Stracciatella	5,20
Cioccolato	5,20
Pannacotta	5,20

caffè GIOLITTI

BIBITE	
Bibite in lattina	1,60
Bibite in bottiglia	1,50
Spremuta d'arancia	2,80
Birra alla spina piccola	1,70
Birra alla spina media	2,60
Birra in bottiglia	3,00
Acqua minerale - bicchiere	0,50
Acqua minerale - bottiglia	1,70

APERITIVI	
Bitter - Campari	3,60
Martini: rosso - dry - bianco	3,60

PANINI - TRAMEZZINI	
Prosciutto crudo e mozzarella	1,80
Mozzarella e pomodoro	1,80

Role-play

4 **Based on the previous price list and the following table, role play a dialogue between two people who go to a cafe and decide to drink and eat something.**

Ordinare
cosa prendi? *cosa prendiamo?* *vuoi bere qualcosa?*
per me un... / io prendo... *preferisco il tè al caffè...* *io ho fame: vorrei un panino...* *ho sete: vorrei bere qualcosa...*

5 **On page 66 you can find the passage** "ho dovuto pranzare presto"**. Look at the table and complete the sentences, as shown.**

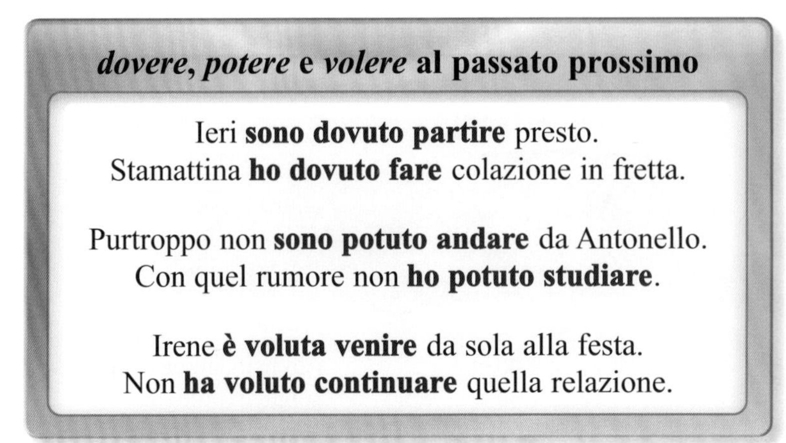

dovere, potere e _volere_ al passato prossimo

Ieri **sono dovuto partire** presto.
Stamattina **ho dovuto fare** colazione in fretta.

Purtroppo non **sono potuto andare** da Antonello.
Con quel rumore non **ho potuto studiare**.

Irene **è voluta venire** da sola alla festa.
Non **ha voluto continuare** quella relazione.

Ieri *(io-dovere lavorare)* molte ore. ➪ *Ieri ho dovuto lavorare molte ore.*

1. Non *(io-volere-comprare)* una macchina di seconda mano.
2. Ida *(volere-continuare)* a studiare anche dopo mezzanotte.
3. Signora Pertini, come *(potere affrontare)* una situazione così difficile?
4. Alla fine, *(noi-dovere tornare)* a casa da sole.
5. Maurizio non *(potere trovare)* una buona scusa.

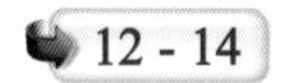
12 - 14

E Abilità

1 **Ascolto** Workbook (p. 122)

2 **Parliamo**

1. Quanti tipi di caffè esistono? Potete spiegare che differenze ci sono?
2. Voi che caffè preferite, quando e come lo bevete?
3. Secondo voi, costa molto bere un caffè e mangiare qualcosa in un bar italiano? Nel vostro paese, più o meno, quanto costa?
4. Ci sono somiglianze o differenze tra un bar italiano e uno del vostro paese? Parlatene.
5. Andate spesso a bere il caffè fuori? Parlate un po' del posto che preferite: dove si trova, com'è, perché ci andate ecc.

3 **Scriviamo**

Write an e-mail to an Italian friend and, after the usual greetings, write how you spent a weekend recently. *(80-100 words)*

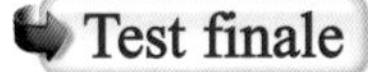
Test finale

Gli italiani e il bar

Read the passage and choose the right sentences.

Molto spesso il caffè si beve al banco, in piedi

Per molti italiani una sosta*, anche breve, al bar fa parte del loro programma giornaliero. Ci possono andare la mattina a fare colazione con cappuccino e cornetto, all'ora di pranzo per un panino, il pomeriggio per un dolce seguito da un buon caffè, oppure la sera per bere qualcosa con gli amici. Il caffè non costa molto e, di solito, prima di ordinare al barista dietro il banco dobbiamo pagare, cioè dobbiamo "andare alla cassa" per ritirare o "fare lo scontrino*".

Alla cassa

Un bar a Piazza Navona

Più accoglienti* e ospitali sono i bar di provincia, più che altro un ritrovo* per le persone di ogni età: lì possono anche leggere il giornale, discutere di politica e di sport e giocare a carte.

Quando il tempo è bello è ancora più piacevole andare al bar e sedersi ai tavolini in piazza o semplicemente sul marciapiede per godere del sole, leggere il giornale, chiacchierare con un amico davanti a una tazzina di caffè. Famosi, ad esempio, sono i bar di Piazza San Marco a Venezia, come il leggendario *Florian*.

Proprio la piazza è un punto di ritrovo, un luogo dove poter parlare, scherzare, passeggiare, mangiare un gelato. Tipici esempi: Piazza di Spagna e Piazza Navona a Roma e Piazza del Duomo a Milano.

Il *Florian*

1. Per gli italiani il bar è un locale dove
   - ☐ a. fare solo colazione
   - ☐ b. bere e mangiare
   - ☐ c. passare soprattutto la serata

2. Quando il tempo è bello gli italiani
   - ☐ a. preferiscono i gelati al caffè
   - ☐ b. preferiscono le piazze ai bar
   - ☐ c. preferiscono i bar con i tavolini fuori

I bar che hanno fuori un'insegna* con la lettera 'T', sono anche tabaccherie e vendono tantissime cose.

Glossary: sosta: stop, break; scontrino: receipt; accogliente: welcoming; ritrovo: meeting place; insegna: (commercial) sign.

sessantanove

Il caffè

Read the passage about coffee and indicate which sentences actually appeared in it.

Gli italiani con la parola "caffè" si riferiscono quasi sempre all'espresso, questo caffè tanto particolare dal gusto e l'aroma* forti.

Tutto comincia nel 1901 quando il milanese Luigi Bezzera inventa* una macchina per il caffè da bar che permette di preparare il caffè in poco tempo. Così, l'espresso (nome che sottolinea, appunto, la velocità nella preparazione, ma anche nella... consumazione) entra nella vita di tutti i giorni degli italiani e diventa un simbolo dell'Italia.

Tutti i momenti sono buoni per un caffè che possiamo bere **macchiato** (con pochissimo latte); **lungo** (tazzina quasi piena, sapore più leggero); **ristretto** (meno acqua, sapore più forte); **freddo** (con ghiaccio); **corretto** (con un po' di liquore). Inoltre a casa gli italiani fanno spesso colazione con il **caffelatte**, latte caldo e pochissimo caffè.

L'altra bevanda calda italiana famosa nel mondo è il cappuccino. Ha preso il suo nome dal colore degli abiti dei frati* cappuccini e in pratica si tratta sempre di un espresso più la schiuma di latte*. Un consiglio: dopo pranzo chiedete un espresso invece di un cappuccino. Per gli italiani, infatti, è impensabile* bere un 'cappuccio' alla fine di un pasto, mentre va benissimo a colazione. L'espresso, d'altra parte, si beve a tutte le ore!

☐ 1. L'espresso è il caffè preferito dagli italiani.

☐ 2. Luigi Bezzera ha inventato il modo di preparare il cappuccino.

☐ 3. Il caffelatte si beve soprattutto la mattina.

☐ 4. Il caffè lungo non ha un sapore molto forte.

☐ 5. I frati cappuccini bevono molto caffè.

☐ 6. Dopo pranzo gli italiani bevono almeno due tazzine di caffè.

Glossary: aroma: aroma, fragance; inventare: to invent; frate: friar; schiuma di latte: milk foam; impensabile: unthinkable, inconceivable.

Caffè, che passione!

Read the passage and complete the table.

Caffè, passione degli italiani
30 milioni di tazzine al giorno

ROMA - A colazione, dopo pranzo e dopo cena.
Ma anche al pomeriggio: il rito* del caffè sembra irrinunciabile* per gli italiani. Sui 7,5 milioni di sacchi di caffè importato dall'estero (pari a 76 mila tonnellate*) ogni anno, 1,5 milioni finiscono nei bar, i restanti* 6 milioni vanno nelle case private per il consumo quotidiano*. Un italiano beve 600 tazzine di caffè e cappuccino all'anno: di queste il 70% a casa, il 20% nei

130.000 bar del paese e il 10% sul posto di lavoro.

da *la Repubblica*

I numeri del caffè

....	tazzine all'anno per ogni italiano
....	milioni di sacchi di caffè importato
....	mila bar in Italia
....	mila tonnellate di caffè consumate all'anno
....	milioni di sacchi di caffè consumati al bar
....	milioni di sacchi di caffè consumati nelle case
....	milioni di tazzine bevute al giorno in Italia

Tra le caffettiere ad uso domestico* la più usata oggi è ancora la Moka (famosa per esempio la *Bialetti*) che in pochi minuti dà un buon espresso. Poi esistono tantissime caffettiere automatiche (in bar, ristoranti, uffici e case) che preparano sia il caffè sia il cappuccino.

Glossary: rito: rite, ceremony; irrinunciabile: unmissable, not to be missed; tonnellata: ton; restante: remaining; quotidiano: daily, everyday; domestico: domestic, home-.

Attività online

Autovalutazione
What do you remember from units 3 and 4?

1. Do you know how to...? Match the two columns.

1. esprimere incertezza
2. ordinare al bar
3. esprimere preferenza
4. localizzare nello spazio
5. raccontare

a. *Un cornetto, per favore.*
b. *Io vorrei un tè.*
c. *È nel salotto, sul tavolino.*
d. *All'inizio siamo andati a mangiare, poi...*
e. *Mah, può darsi.*

2. Match the sentences.

1. Quando sei venuto in Italia?
2. Scusi, quanto costa questo?
3. Cosa prendi?
4. Pronto?
5. Grazie mille!

a. Per me un caffè lungo, grazie.
b. Ma figurati!
c. Posso parlare con Marco?
d. Nel maggio scorso
e. Con lo sconto 90 euro.

3. Complete.

1. Due tipi di caffè espresso: ....
2. In genere non si beve dopo un pasto: ....
3. Il participio passato del verbo *bere*: ....
4. Il passato prossimo di *rimanere* (prima persona singolare): ....
5. L'ausiliare di molti verbi di movimento: ....

4. Find the eight hidden words, horizontally and vertically.

e	s	u	c	c	e	s	s	o	t
t	o	l	i	p	e	t	b	l	a
t	p	i	a	z	z	a	e	e	v
y	r	s	g	i	u	g	n	o	o
n	a	t	t	u	f	e	t	a	l
a	t	i	r	e	z	n	o	s	i
p	a	n	i	n	o	d	u	m	n
u	v	o	g	e	l	a	f	i	o

Check the solutions on page 143.
Are you satisfied?

Piazza di Spagna, Roma

Feste e viaggi

Per cominciare...

1 Where and how do you prefer to spend the holidays or vacations and why?

2 Listen to the dialogue once and mark the cities that Ugo and Angela are thinking of visiting.

3 Listen to the dialogue again and indicate which sentences are correct.

1. Quando Aldo e Ugo parlano è già Natale.
2. Ugo farà un viaggio da solo.
3. Aldo passerà le feste lontano da Stefania.
4. Ugo e Angela a Capodanno saranno in Italia.

In this unit... (Glossary on page 161)

1. *...we learn to plan, forecast, promise and make hypotheses; vocabulary and some expressions for travelling by train and for speaking about the weather*
2. *...we learn the* futuro semplice *and* futuro composto
3. *...we find information about holidays and about trains in Italy*

A Faremo un viaggio.

1 **Read and listen to the passage to verify your answers to the previous exercise.**

Ugo: ...e per Natale, avete già deciso qualcosa?

Aldo: No, ancora no. Voi, invece?

Ugo: Noi quest'anno faremo un viaggio. Ho già prenotato tutto, ma Angela non sa ancora niente!

Aldo: Ah, che bella sorpresa! E dove andrete?

Ugo: Dunque, partiremo in aereo il 22 dicembre per Madrid e il 26 andremo in treno in Portogallo, a Lisbona. Poi a Capodanno saremo a Parigi per altri tre giorni e torneremo il 4 gennaio con un treno ad alta velocità.

Aldo: Però! Ma voi farete quasi il giro d'Europa! Costerà un bel po', immagino!

Ugo: Eh, sì. Anche se, per fortuna, ho trovato un'offerta interessante sul sito di Trenitalia. E voi, ...andrete da qualche parte?

Aldo: Anche noi all'inizio abbiamo pensato di andare a Zurigo per 2-3 giorni. Però poi Stefania ha deciso di andare a Venezia dai suoi genitori e tornerà dopo Capodanno.

Ugo: E l'ultimo dell'anno?

Aldo: Non lo so. Forse verranno a casa degli amici, oppure andremo a festeggiare in qualche bel posto. Vedremo. Comunque, buone feste e buon viaggio!

Ugo: Grazie, Aldo! Buon Natale e buon anno anche a voi!

2 Read and underline.

Take on the roles of Ugo and Aldo and read the dialogue. Then underline the rest of the verbs that you think have the same form as "farete" and "faremo". What do they mean?

3 Answer the questions.

1. Che cosa faranno Ugo e Angela a Natale?
2. Cos'è cambiato nei programmi iniziali di Aldo?
3. Cosa farà Aldo a Capodanno?
4. Che cosa augura Ugo ad Aldo?

4 Complete the dialogue between Ugo and Angela with the verbs given.

Ugo:	Sai, ho incontrato Aldo oggi.
Angela:	Ah, come sta? E Stefania? Che .... a Natale?
Ugo:	Stefania .... a Venezia e lui .... qui da solo.
Angela:	Allora, forse potete uscire insieme qualche sera.
Ugo:	Ma noi, amore mio, non .... qui, noi quest'anno .... un bel viaggio in Europa! Ho già prenotato tutto: il 22 dicembre .... l'aereo per la Spagna, il 26 .... in Portogallo in treno per essere in Francia a Capodanno! Eh, che bella sorpresa!
Angela:	Certo... amore... come no, bellissima. Solo che... a Natale viene mia madre per una settimana! Ha già fatto i biglietti!

prenderemo andremo faranno saremo faremo andrà resterà

5 Briefly speak *(40-50 words)* about how the two couples will spend their holidays.

....

....

....

....

....

....

....

....

....

6 **Complete the table and then the sentences that follow, as shown.**

Futuro semplice

	tornare	**prendere**	**partire**
io	torn**erò**	prend**erò**	part**irò**
tu	torn**erai**	prend**erai**	part**irai**
lui, lei, Lei	tornerà	prend**erà**	part**irà**
noi	torn**eremo**	prend**eremo**	partiremo
voi	torn**erete**	tornerete	part**irete**
loro	torn**eranno**	prend**eranno**	part**iranno**

A che ora *(tu-uscire)* di casa? ⇨ *A che ora uscirai di casa?*

1. Secondo te, a Salvatore *(piacere)* uno di questi libri?
2. Chiara, quando *(imparare)* finalmente a cucinare bene?
3. *(io-scrivere)* un'e-mail a Guido per spiegare tutta la verità.
4. Dario ha promesso che *(smettere)* di correre con la macchina.
5. Ragazzi, quando *(partire)* per le vacanze?
6. Mamma, da grande *(io-diventare)* un famoso architetto!

7 **Complete the table in pairs.**

Futuro semplice
Verbi irregolari

essere	**avere**	**stare**	**andare**	**fare**
sarò	avrò	starò	andrò	farò
sarai	avrai	starai	andrai	farai
sarà	avrà	....	andrà	farà
saremo	avremo	staremo	andremo	faremo
sarete	avrete	starete	andrete	farete
saranno	avranno	staranno	andranno	....

Other verbs that are irregular in the futuro *can be found in the Appendix on page 143.*

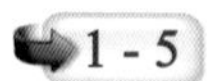
1 - 5

8 Uses of the *futuro*. Look at the table then say which use corresponds to the drawings below.

1. Fare progetti	◆ Quest'anno cercherò un nuovo lavoro. ◆ Studierò giorno e notte per prendere la laurea.
2. Fare previsioni	◆ Secondo me, stasera pioverà. ◆ Diventerai un bravissimo avvocato!
3. Fare ipotesi	◆ - Che ore sono? - Saranno le 2. ◆ È abbastanza giovane, non avrà più di trent'anni.
4. Fare promesse	◆ Va bene, domani finirò tutto! ◆ Hai ragione! Quest'anno studierò di più!
5. Periodo ipotetico	◆ Se domani farà bel tempo, andremo al mare. ◆ Se la Roma continua così, vincerà il Campionato.

6 - 11

B In treno

1 **Work in pairs. Look at the photos and guess the meaning of these words:**

biglietteria   controllo   passeggero   binario

2 **Listen and match the recording to the photos. Careful: there's one extra photo!**

3 **Now read the passage and verify your answers.**

1. ◆ Scusi, signorina, questa è la seconda classe, vero?
   ◆ Sì, è la seconda.
   ◆ Grazie mille!

2. ◆ Biglietti, prego!
   ◆ Ecco.
   ◆ Grazie!

3. ◆ Scusi, questo è il treno per Firenze, vero?
   ◆ Sì, signora, è questo.
   ◆ Grazie!

4. ◆ A che ora parte il prossimo treno per Firenze?
   ◆ C'è l'Intercity fra venti minuti e l'Eurostar alle 4.
   ◆ Allora... un biglietto per l'Intercity.
   ◆ Andata e ritorno?
   ◆ No, solo andata. Quant'è?
   ◆ Con il supplemento... sono 21 euro e 95 centesimi.

5. ◆ Attenzione! L'Intercity 703, per Firenze - Bologna - Milano, è in arrivo al binario 8 anziché al binario 12.

4 **Work in pairs. Underline the words and sentences that are useful when travelling by train in the previous dialogues.**

5 **Complete the short dialogues.**

1. ● Un biglietto per Venezia, per favore.
   ● ....?
   ● No, solo andata. Quant'è?
   ● ....

2. ● .... per Roma?
   ● L'Eurostar delle 11.

3. ● ....?
   ● Fra mezz'ora.
   ● ....?
   ● Dal binario sei.

4. ● Scusi, è questo il treno che va a Venezia?
   ● ....

6 *Role-play*

A: You are at the railway station in Florence and you want to take the next train to Rome. Ask the ticket counter cashier (*B*) for information about the schedule, the price, the track, etc. Finally, pay for the ticket and thank him or her.

B: You are a ticket counter cashier: you must answer all of *A*'s questions. You can consult the map on page 27.

C In montagna

1 **Three couples will go on a ski-holiday in the Alps. Read the dialogue.**

Simona: Quando partirete per le Alpi?
Nadia: La mattina del 23.
Simona: Ma Teresa non lavora quel giorno?
Nadia: Sì, infatti, partirà quando avrà finito il turno. shift
Simona: Davide e Chiara, invece, partiranno con voi?
Nadia: No, loro verranno dopo che saranno passati dai genitori di Chiara.
Simona: Ho capito. E quando tornerete?
Nadia: Io e Matteo ripartiremo il 2 gennaio.
Simona: Che bello! Quando tornerete voglio sapere tutto!
Nadia: Va bene. Ti chiamerò non appena sarò tornata!
as soon as

2 **Indicate the right sentences.**

1. Nadia e Matteo arriveranno dopo Teresa.
2. Teresa partirà per la montagna dopo il lavoro.
3. Davide e Chiara passeranno prima dai genitori di lei.
4. Nadia chiamerà Simona prima di arrivare a casa.

3 **When do we use the *futuro composto* (for example "avrà finito", "saranno passati")? Look at the examples.**

Futuro composto

Federico verrà	dopo che (non) appena quando	**avrò/avrai/avrà mangiato** **avremo/avrete/avranno studiato**	**sarò/sarai/sarà tornato/a** **saremo/sarete/saranno arrivati/e**

Uso del futuro composto

passato prossimo	presente	**futuro composto**	futuro semplice
l'anno scorso <u>*ho fatto un viaggio*</u>	di solito <u>*viaggio*</u> in aereo	dopo che <u>***avrò finito*** *gli esami*</u>...	...<u>***farò*** *un viaggio*</u>
		1ª azione futura	**2ª azione futura**

Note: It is the same if we say: *Farò un viaggio* (2nd action) *dopo che avrò finito gli esami* (1st action)

4 **Look at the table again and answer, as shown.**

Quando torni? *(dopo che / finire)*
⇨ *Tornerò dopo che avrò finito.*

1. Quando partiremo per le isole Canarie? *(dopo che / vincere al lotto)*
2. A che ora verrà Giulio? *(dopo che / passare / da sua sorella)*
3. Quando andrà a vivere da sola Cristina? *(quando / trovare lavoro)*
4. Quando andrai in vacanza? *(appena / dare l'esame)*
5. Mauro verrà o no? *(sì, appena / finire di studiare)*

12 - 15

D Che tempo farà domani?

29 **1** **Listen to the dialogue and indicate which sentences are correct.**

1. Claudio ha dei dubbi sulla gita perché
   - a. è stanco
   - b. fa un po' freddo
   - c. tira vento

2. Secondo Valeria il giorno dopo
   - a. pioverà
   - b. il cielo sarà nuvoloso
   - c. farà bel tempo

3. Claudio ricorda a Valeria che
   - a. sono andati al mare una settimana prima
   - b. pochi giorni prima è piovuto
   - c. fa troppo caldo

4. Alla fine decidono di
   - a. ascoltare le previsioni del tempo
   - b. fare la gita al mare
   - c. rinunciare alla gita

30 **2** **Listen to the weather forecast and match the illustrations to the words. Careful: there can be various illustrations for single parts of Italy (South, Centre, North).**

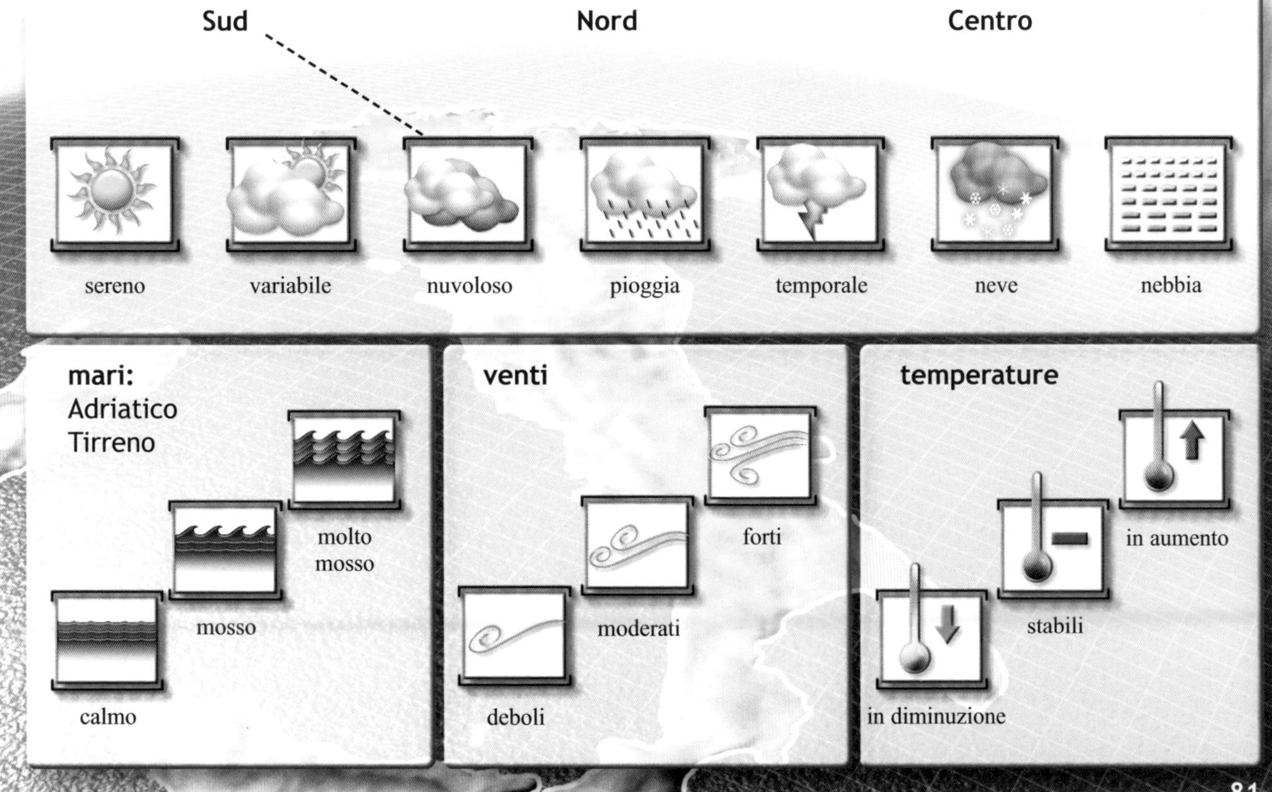

3 Look at the table and do activity 4.

Che tempo fa? / Com'è il tempo?	
Il tempo è bello / brutto	*Fa bel / brutto tempo*
È sereno / nuvoloso	*Fa freddo / caldo*
C'è il sole, la nebbia, vento	*Piove / Nevica / Tira vento*

Role-play

4 **In pairs make short dialogues to speak about the weather during the weekend and to decide where and on which day to go on a trip. One pair must choose a city in the North, another in the Centre, and a third in the South of Italy. You can use expressions like** "Meglio andarci domenica perché...", "Perché non andiamo a... che il tempo è...?" **and such.**

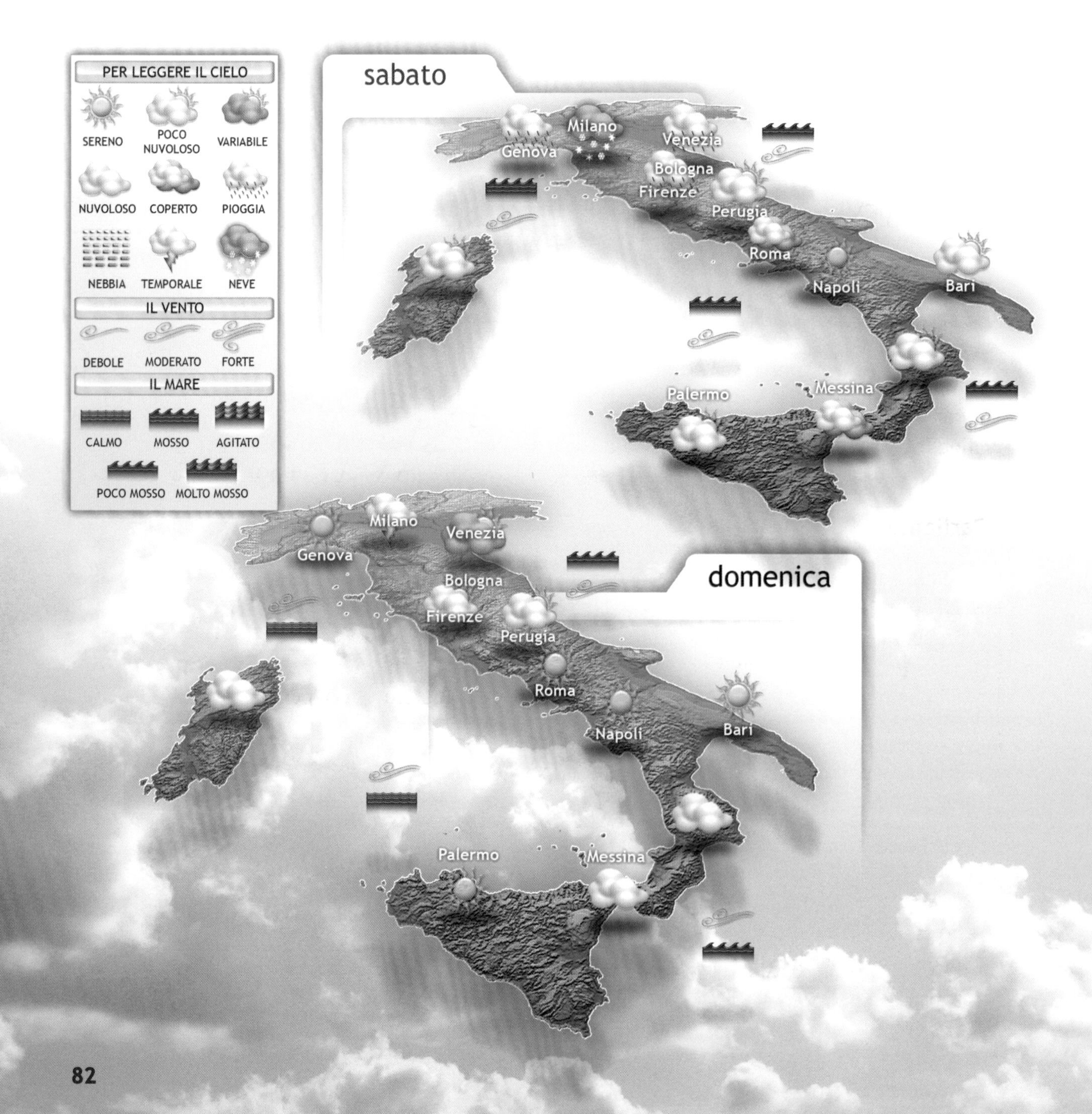

E Vocabolario e abilità

1 **a. Holidays. Complete the passage with the words given.**

Il Natale è la festa .... più importante per gli italiani. In questo periodo c'è un'atmosfera .... dappertutto. Le strade sono illuminate, i negozi e i supermercati affollati. C'è chi cerca dei .... per amici e parenti e chi fa la spesa per il .... di Capodanno: il .... ripieno, lo spumante e, naturalmente, il ...., il tradizionale dolce di Natale. Per molti questo è il periodo della cosiddetta "settimana ...." che vede le Alpi e le altre montagne d'Italia piene di turisti, italiani e stranieri.
Altre feste importanti sono l'Epifania, la Pasqua, il ...., quando "ogni scherzo vale" (cioè è permesso), e Ferragosto.

speciale
tacchino
panettone
bianca
Carnevale
religiosa
regali
cenone

b. Trips. Match the words, as shown.

località	treno
scompartimento	bagagli
crociera	destinazione
valige	nave

supplemento	camera
binario	prezzo
prenotazione	Intercity
tariffa	stazione

2 **Parliamo**

1. Quali sono le feste più importanti nel vostro paese?
2. Di solito, come passate il giorno di Natale? E il Capodanno?
3. Raccontate come avete trascorso le ultime feste (quando, dove, con chi ecc.).
4. Parlate dei paesi che avete visitato. Quali volete visitare in futuro e perché?
5. Che tempo ha fatto ieri nel vostro paese? Quali sono le previsioni per domani?

31 **3** **Ascolto** Workbook (p. 134)

4 **Scriviamo**

You have received an invitation for the holidays from a friend who lives in Perugia. In your thank-you note, explain why you cannot accept the invitation and write about your plans during those days. *(80-100 words)*

Test finale

Gli italiani e le feste

Natale: i bambini aspettano Babbo Natale che porta i doni*, insieme agli adulti addobbano* l'albero di Natale e fanno il presepe. Il tacchino farcito*, il pollo arrosto o altre specialità regionali, lo spumante e, infine, il panettone e il pandoro si trovano su quasi tutte le tavole italiane.

Babbo Natale e la Befana a Piazza Navona, Roma.

Epifania: il 6 gennaio i bambini appendono delle calze al camino per la Befana, una vecchietta che porta dolci e regali ai bambini buoni e carbone a quelli cattivi!

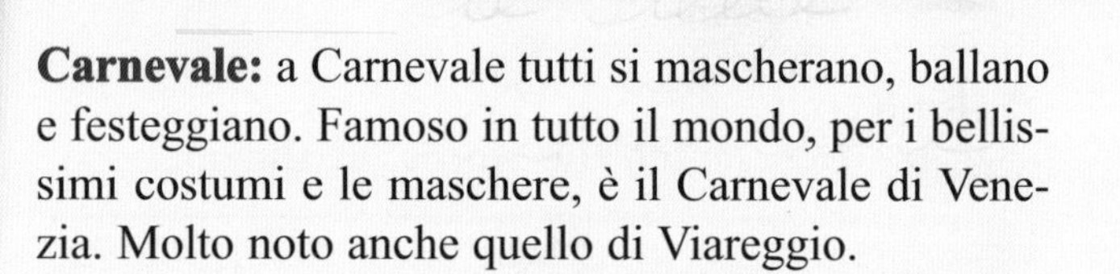

Il torrone (qui nella foto), il panettone e il pandoro, sono i tradizionali dolci di Natale.

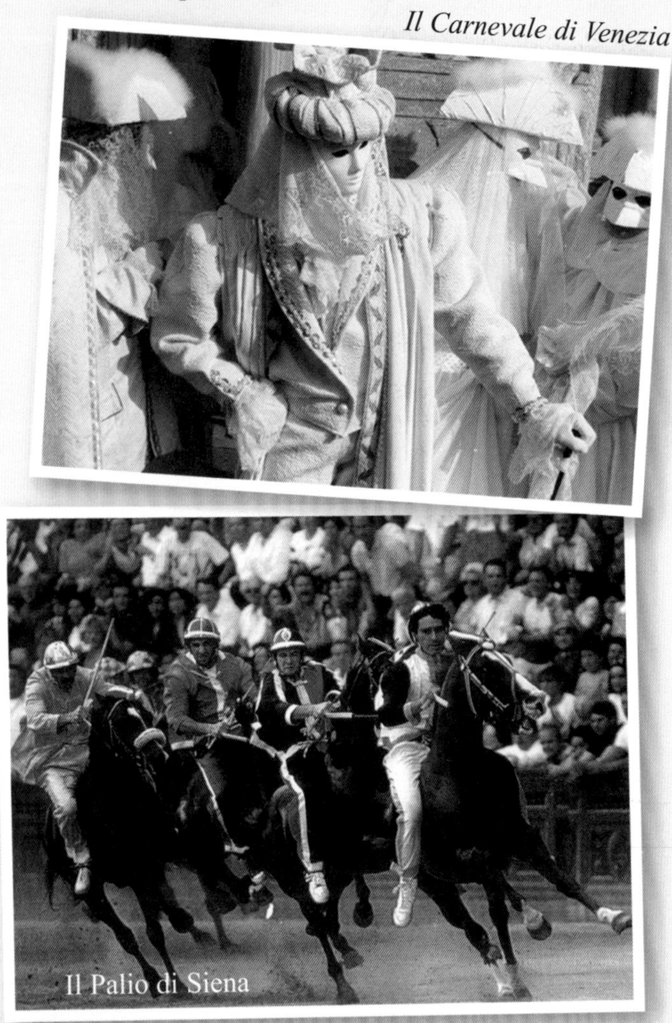

Il Carnevale di Venezia

Il Palio di Siena

Carnevale: a Carnevale tutti si mascherano, ballano e festeggiano. Famoso in tutto il mondo, per i bellissimi costumi e le maschere, è il Carnevale di Venezia. Molto noto anche quello di Viareggio.

Pasqua: la Pasqua cattolica cade sempre di domenica, tra il 22 marzo e il 25 aprile. I bambini ricevono l'uovo di cioccolata che nasconde una sorpresa. *"Natale con i tuoi, Pasqua con chi vuoi"* dice un proverbio italiano.

25 aprile:è una festa nazionale per gli italiani, l'anniversario della fine della seconda guerra mondiale (1945). Il **2 giugno** invece, si ricorda la nascita della Repubblica italiana (1946).

Ferragosto: il 15 agosto, durante le vacanze estive, si celebra l'ascesa* al cielo della Vergine Maria.

Infine, ci sono tantissime **feste popolari**: il *Palio** di Siena e quello di Asti, la *Regata* Storica* di Venezia, la *Giostra* del Saracino* ad Arezzo ecc.

Choose the right sentences.

- ☐ 1. A Natale i bambini trovano i regali nelle calze che appendono.
- ☐ 2. Il pranzo di Natale è molto importante per la famiglia.
- ☐ 3. In Italia il Carnevale si festeggia solo a Venezia.
- ☐ 4. A Pasqua le uova contengono delle sorprese per i bambini.
- ☐ 5. Il 25 aprile si festeggia l'Unità d'Italia.

Glossary: doni: presents, gifts; addobbare: to decorate; farcito: stuffed; ascesa: ascent, rising, assumption; palio: "palio"; regata: regatta; giostra: carousel, tournament.

I treni in Italia

Gli italiani viaggiano spesso in treno per distanze sia brevi che lunghe. La rete ferroviaria italiana copre tutto il territorio nazionale e la qualità dei servizi offerti è piuttosto alta. Esistono treni e servizi per ogni esigenza*:

Treni per il trasporto locale: il **Locale** o **Regionale** collega piccole città all'interno della stessa regione, si ferma in tutte le stazioni e offre posti di sola 2ª classe. Il **Diretto** fa meno fermate del regionale. L'**Interregionale**, infine, collega città di regioni vicine e fa ancora meno fermate.

L'**Intercity** e il più moderno **Intercity Plus** sono treni molto veloci, coprono tutto il territorio e offrono un alto livello di comodità. Si fermano solo nelle principali città.

L'**Eurostar** (ES) è un treno molto moderno che offre alti standard di comfort* e velocità. Viaggiando a 250 km orari, collega le città più importanti e offre anche servizi di ristorazione. Il biglietto include la prenotazione del posto, in 1ª o in 2ª classe. In più ci sono i **Treni ad Alta Velocità**: sono ancora più rapidi, lussuosi* e, ovviamente, cari. Creati dal famoso designer Giugiaro, viaggiano su alcune linee ad oltre 300 km all'ora e collegano le grandi città in tempi molto brevi.

Esistono molte agevolazioni* per chi usa spesso il treno: giovani, anziani, turisti, scuole, passeggeri dell'Eurostar ecc.

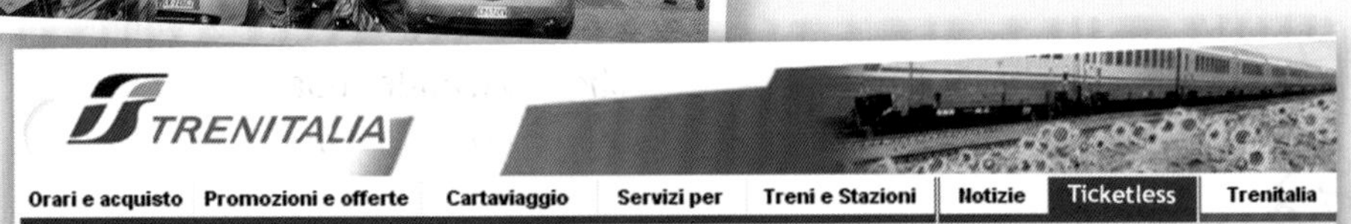

Ticketless - il biglietto elettronico

- Reclami e Suggerimenti
- FAQ - Domande frequenti
- Call Center
- sms2go
- Carta dei Servizi
- Condizioni di trasporto

Cos'è
È una modalità di acquisto attiva su tutti i treni Eurostar, Intercity ed Intercity Plus, sia in 1ª che in 2ª classe, che ti permette di salire a bordo senza la necessità di dover ritirare il biglietto.

I Vantaggi
Potrai acquistare comodamente su Internet o per telefono - fino a 10 minuti prima della partenza del treno - eliminando i tempi di attesa per il ritiro presso le Self Service o per l'acquisto allo sportello.

Dove si acquista:
Con Carta di Credito sul sito e al Call Center di Trenitalia.

Come funziona:
Per gli acquisti online: riceverai un'e-mail di conferma di acquisto con tutte le informazioni relative alla carrozza ed ai posti assegnati. Una volta saliti sul treno sarà sufficiente fornire il codice ricevuto al Personale di Bordo che provvederà a stampare il biglietto. Ricorda che per i viaggi in IC e in IC Plus è necessario acquistare la prenotazione del posto oltre al semplice biglietto.

tratto da www.trenitalia.it

Read the passages and briefly answer the questions.

1. Perché gli italiani viaggiano spesso in treno?
2. In cosa differiscono il Regionale, il Diretto e l'Interregionale?
3. Che differenze ci sono tra l'Intercity e l'Eurostar?
4. Qual è il vantaggio del biglietto elettronico?

Glossary: esigenza: need; comfort: comfort; lussuoso: luxurious; agevolazione: concession, discount, offer.

Autovalutazione

What do you remember from units 4 and 5?

1. Do you know how to...? Match the two columns.

1. fare previsioni
2. fare ipotesi
3. parlare del tempo
4. parlare di progetti
5. fare promesse

a. *L'anno prossimo comprerò un nuovo computer.*
b. *Vedrai che alla fine Antonia sposerà Carlo.*
c. *Fa freddo oggi, vero?*
d. *Anna? Non avrà più di 20 anni.*
e. *Sarò puntuale questa volta.*

2. Match the sentences.

1. Un biglietto per Roma con l'Eurostar.
2. Che tempo fa oggi da voi?
3. Offro io, cosa prendi?
4. Il treno va direttamente a Firenze?
5. Quando sei nato?

a. Brutto, molto brutto.
b. No, bisogna cambiare a Bologna.
c. Andata e ritorno?
d. Il 3 aprile dell'89.
e. Un caffè macchiato, grazie!

3. Complete.

1. Tre tipi di treni: ....
2. Tre feste italiane: ....
3. Il passato prossimo di *prendere* (prima persona singolare): ....
4. Il futuro semplice di *venire* (prima persona singolare): ....
5. Il futuro composto di *partire* (prima persona singolare): ....

4. Find the odd word in each group.

1. pioggia neve vento sole ombrello
2. treno aereo aeroporto nave pullman
3. libri caffè gelati dolci panini
4. stazione biglietteria binario prenotazione panettone
5. Palio di Siena Natale Pasqua Epifania Ferragosto

Check the solutions on page 143. Are you satisfied?

Le due torri, **Bologna**

Workbook

Benvenuti!

(Glossary on page 153)

1 Put the following words in plural.

1. lettera lettere
2. moda mode
3. studente studenti
4. treno treni
5. giornale giornali
6. fermata fermate
7. chiave chiavi
8. pizza pizze

2 As before.

1. strada strade
2. amore amori
3. pesce pesci
4. rosso rossi
5. aereo aerei
6. francese francesi
7. alto alti
8. aperta aperte

3 Fill in the verb *essere*.

1. Tu sei bello.
2. Noi siamo italiani.
3. Voi siete americani?
4. I libri sono nuovi.
5. Io sono studente.
6. L'italiano è facile?

4 Complete the sentences, as shown.

> Carlo è a Firenze.
> Carlo e Franco *sono* a Firenze.

1. Voi siete a Napoli. — Andrea, è a Milano?
2. Tu sei in Italia. — Voi siete in Germania.
3. Il signor Gianni è professore. — I ragazzi sono studenti.
4. Io sono in classe. — Noi siamo a casa.
5. Voi siete spagnoli. — Tu sei argentino?
6. La porta è rossa. — La porta e la finestra sono rosse.

5 Fill in the correct *articolo determinativo*.

1. la Francia
2. la casa
3. l' uscita
4. lo stivale boot
5. il vestito
6. il Belgio
7. il bagno
8. la Spagna
9. il calcio kick

6 **Do the same as in the previous exercise.**

1. .... psicologo
2. .... libro
3. .... pagina
4. .... porta
5. .... Stati Uniti
6. .... aereo
7. .... zio
8. .... Italia
9. .... museo

7 **Put the nouns and articles in plural.**

1. il bicchiere ....
2. la giornata ....
3. lo zaino ....
4. l'americano ....
5. la finestra ....
6. il pesce ....
7. la notte ....
8. il pezzo ....

8 **Do the same as in the previous exercise.**

1. il campione ....
2. la canzone ....
3. la lingua ....
4. lo stivale ....
5. la luce ....
6. la stella ....
7. l'isola ....
8. la macchina ....

9 **As before (also see the Appendix on page 140).**

1. il turista ....
2. la foto ....
3. la città ....
4. lo sport ....
5. l'ipotesi ....
6. il test ....
7. il cinema ....
8. il problema ....

10 **Fill in the verb *avere*.**

1. Carmen .... una casa.
2. Sandra e Gloria .... un amico americano.
3. Tu .... una bella macchina.
4. Io e Angela .... un'idea.
5. Io .... una sorella.
6. Tu e Gino .... un cane?

11 Complete the sentences, as shown.

> Io ho mal di testa.
> Noi *abbiamo* mal di testa.

1. Tu hai belle idee. — Voi .... belle idee.
2. Gianni ha 18 anni. — Matteo e Marta .... 25 anni.
3. Noi abbiamo un problema. — Io .... un problema.
4. Loro hanno fame. — Roberto .... fame.
5. Loredana ha una *Fiat*. — I signori Masi .... una *Ferrari* rossa.
6. Avete voi le chiavi? — .... tu le chiavi?

12 Complete the sentences, as shown.

> Io .... Franco.
> Io *mi chiamo* Franco.

1. Tu .... Maria?
2. Io .... Piero.
3. Lui .... Sergio.
4. Io .... Sabrina.
5. Lei .... Marcella.
6. E tu, come ....?

13 Answer the questions.

a. Sono Mariella Console, una studentessa d'inglese. Sono italiana, di Bari e ho 19 anni.

- ● Chi è Mariella Console?
- ○ ....
- ● Di dove è?
- ○ ....
- ● Quanti anni ha?
- ○ ....

b. Gino e Carla sono due ragazzi italiani. Lui è di Firenze e ha 24 anni, lei è di Pisa e ha 23 anni.

- ● Chi sono Gino e Carla?
- ○ ....
- ● Di dove sono?
- ○ ....
- ● Quanti anni hanno?
- ○ ....

TEST FINALE

A Complete the passage using the verbs *essere* or *avere*.

Paolo (1)................ un ragazzo italiano, (2)................ di Napoli e (3)................ 22 anni. Lui (4)................ molti amici all'università: Anna e Dolores (5)................ spagnole e (6)................ 21 anni; Ivan (7)................ russo e (8)................ 20 anni; Karl, Heidi e Hans (9)................ austriaci e (10)................ 22 anni.

B Choose the correct article.

1. .... libro
a) La
b) Il
c) Lo

2. .... scuola
a) La
b) Le
c) Il

3. .... ristorante
a) La
b) Lo
c) Il

4. .... cinema
a) Il
b) Lo
c) La

5. .... latte
a) La
b) Il
c) Le

6. .... italiani
a) I
b) Gli
c) L'

C Choose the correct article and plural form of the following nouns.

1. .... aereo
a) Le aree
b) L'aerei
c) Gli aerei

2. .... giornale
a) I giornali
b) Le giornali
c) Gli giornali

3. .... città
a) Le città
b) Le cittì
c) Le citté

4. .... problema
a) I problema
b) I probleme
c) I problemi

5. .... sport
a) I sport
b) Le sport
c) Gli sport

6. .... zio
a) Le zie
b) Gli zii
c) I zi

Risposte giuste: /22

Un nuovo inizio

(Glossary on page 155)

1 **Fill in the sentences using the verbs given.**

parlate partono preferiamo abitano pulisce lavora sono vivo aspetto

1. Stefania .... tanto.
2. Io .... una lettera molto importante.
3. Tu e Giacomo .... bene l'inglese.
4. Noi .... un espresso.
5. Alberto non .... la sua casa.
6. Antonella e Piero .... a Cesena.
7. Quando .... per le vacanze Marco e Tiziana?
8. Io .... di Napoli, ma .... a Milano.

2 **Complete the sentences.**

1. Noi ascoltiamo musica classica. — Voi .... musica classica?
2. Gianni ed io partiamo domani. — Lei, signorina, quando ....?
3. Tanti giovani non fumano. — Ma tu perché ....?
4. Non capisco molto. — Voi .... tutto?
5. Guardate spesso film italiani? — No, non .... spesso film italiani.
6. Io ho una nuova macchina. — Noi .... una macchina vecchia.
7. A che ora partite? — .... verso le sette.
8. Oggi prendo la macchina. — Voi quando .... la macchina?

3 **Complete the question or the answer.**

Domanda	Risposta
1. Che cosa scrivi?	.... una lettera.
2. Dove ....?	Viviamo a Torino.
3. Cosa ....?	Ascolto un cd di Vasco Rossi.
4. Signor Antonucci, cosa ....?	Prendo un caffè, grazie.
5. Mangiamo una pizza?	No, ... gli spaghetti.
6. Parlate anche l'italiano?	No, ... solo spagnolo.
7. È vero che apri una libreria?	Sì, ... una libreria italiana.
8. Dove ....?	Abito in centro.

4 **Answer the questions.**

1. Preferisci un gelato o una Coca cola?
   .... un gelato.
2. Gianni finisce di lavorare verso le due. Luca quando finisce?
   Luca .... di lavorare prima.
3. Carlo, quando spedisci l'e-mail?
   Spedisco.................... l'e-mail domani.
4. Ragazze, pulite oggi la casa?
   No, puliamo.................... la casa domani.
5. Signorina, capisce se parlo in italiano?
   Se parla in italiano, capisco.................... poco.
6. Pulisci anche il bagno?
   Sì, ma prima pulisco.................... la cucina.
7. Quando finite questo lavoro?
   Finiamo.................... questo lavoro domani.
8. Professore, dove preferisce fare le vacanze?
   Preferisco.................... fare le vacanze in Sicilia.

5 **Indicate the correct sentence.**

1. ☐ a. Marco mange un panino.
   ☐ b. Marco mangiano un panino.
   ☒ c. Marco mangia un panino.

2. ☒ a. Noi partiamo adesso.
   ☐ b. Noi partite adesso.
   ☐ c. Noi partono adesso.

3. ☐ a. Luca e Maria siete italiani.
   ☒ b. Luca e Maria sono italiani.
   ☐ c. Luca e Maria siamo italiani.

4. ☐ a. Signor Marcello, abiti a Firenze?
   ☐ b. Signor Marcello, abito a Firenze?
   ☒ c. Signor Marcello, abita a Firenze?

6 Complete the sentences, as shown.

> Gianna parla al telefono.
> Maria e Gianna *parlano* al telefono.

1. L'agenzia non apre oggi.
   I negozi .... ogni giorno.
2. Mara capisce bene l'italiano.
   Le ragazze .... bene il francese.
3. Non lavoro più in libreria.
   Noi non .... più in farmacia.
4. Andrea comincia a lavorare presto.
   Patrizia e Vanna .... a lavorare tardi.
5. Io leggo un giornale inglese.
   Voi ...leggete... un giornale tedesco.
6. Giorgio e Anna abitano in centro.
   Anche Stefano ...abita... in centro.
7. Gianni ripete la lezione.
   Anch'io ...ripeto... la lezione.
8. Tu ascolti una canzone napoletana.
   Loro ...ascoltano... una canzone brasiliana.

7 As before.

1. Loro prendono l'Intercity per Milano.
   Lei ...prende... l'aereo.
2. Tu parti domani.
   Alberto ...parte... oggi.
3. Comincio a capire gli italiani quando parlano.
   Voi ...cominciate... a capire gli italiani?
4. Brigitte cerca casa.
   Brigitte e Karl ...cercano... casa.
5. **Alberto parla due lingue straniere.**
   Loro non ...parlano... nessuna lingua straniera.
6. **Tu non conosci molti cantanti italiani.**
   Voi non ...conoscete... molti cantanti italiani.
7. **Io penso di partire oggi.**
   Loro ...pensono... di partire domani.
8. **Piero e Lucia amano la musica classica.**
   Io ...amo... la musica rock.

8 Fill in the *articolo indeterminativo*.

La strada grande.
Una strada grande.

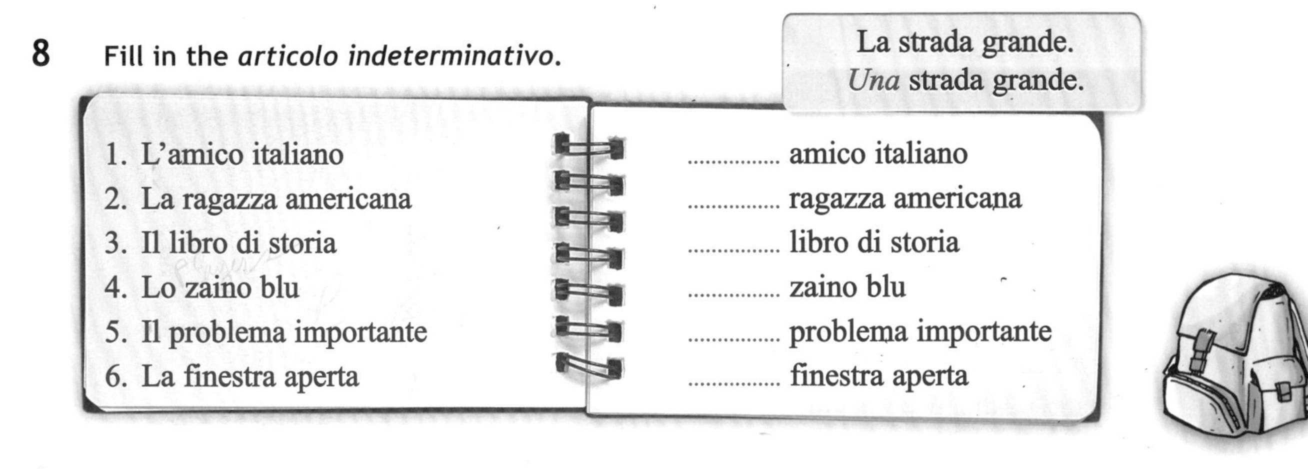

1. L'amico italiano — .... amico italiano
2. La ragazza americana — .... ragazza americana
3. Il libro di storia — .... libro di storia
4. Lo zaino blu — .... zaino blu
5. Il problema importante — .... problema importante
6. La finestra aperta — .... finestra aperta

9 As before.

1. L'amica di Roma — .... amica di Roma
2. Lo zio napoletano — .... zio napoletano
3. L'orologio nuovo — .... orologio nuovo
4. La casa moderna — .... casa moderna
5. Il gatto nero — .... gatto nero
6. La persona simpatica — .... persona simpatica

10 Transform, as shown.

Vestito verde	*Gonna verde*
Il vestito è verde.	La gonna è verde.
I vestiti sono verdi.	Le gonne sono verdi.
Il vestito e la gonna sono verdi.	I vestiti e le gonne sono verdi.

1. ***Libro interessante***
Il libro è interessante
I libri sono interessanti
Il libro e l'idea sono interessanti.

Idea interessante l'idea le idee
le idee
....
....

2. ***Mario intelligente***
Mario è intelligente
Mario e Franco sono intelligenti
Mario e Carla sono intelligenti

Carla intelligente
....
Carla e Anna ....
Anna e Franco ....

3. ***Giardino grande***
Il Giardino e grande
I giardini sono grandi
Il giardino e la casa sono grandi.

Casa grande
....
....
....

11 Write the questions.

1. D: ....?
   R: Vivo in Italia, a Genova.
2. D: ....?
   R: No, sono canadese. Sono di Toronto.
3. D: ....?
   R: Sono in Italia per imparare la lingua.
4. D: ....?
   R: Abito a Napoli, in via Ghiaia.
5. D: ....?
   R: Mi chiamo Francesca.
6. D: ....?
   R: No, non conosco bene la città.
7. D: ....?
   R: No, non sono spagnola, sono brasiliana.
8. D: ....?
   R: Scendo all'ultima fermata.

12 Complete using the words and expressions given.

1. Da .... sono a Roma i vostri amici?
2. Ragazzi, ... ancora vicino all'università?
3. Sì, sono .... Sono di Parigi.
4. Sono in Italia ....
5. Signori, ...
6. Non .... Sono italiano, ma vivo in Australia.

abitate
francese
quanto tempo
di dove siete
da una settimana
sono straniero

13 **Indicate the correct adjective.**

1. Gli irlandesi hanno i capelli
   ❑ a. rossi
   ❑ b. neri

2. I giocatori di basket sono
   ❑ a. alti
   ❑ b. bassi

3. Gli africani hanno i capelli
   ❑ a. biondi
   ❑ b. neri

4. Di solito, gli uomini hanno i capelli
   ❑ a. lunghi
   ❑ b. corti

14 **Indicate the correct adjective.**

1. Rita non ride quasi mai.
   Rita è ❑ a. allegra
   ❑ b. triste

2. Mario piace a tutti.
   Mario è ❑ a. simpatico
   ❑ b. antipatico

3. Lucia ha 23 anni.
   Lucia è ❑ a. giovane
   ❑ b. vecchia

4. Valeria è una modella.
   Valeria è ❑ a. bella
   ❑ b. brutta

TEST FINALE

A **Fill in the correct *articolo determinativo* (il, lo, la, i, gli, le) or *articolo indeterminativo* (un, uno, una).**

Tommy è (1)............ **cane molto simpatico e intelligente. Vive a Pisa, in** (2)............ **villa con** (3)............ **grande giardino.** (4)............ **suo migliore amico è Chicco,** (5)............ **gatto nero con** (6)............ **occhi verdi, che non mangia** (7)............ **pesce! Tommy, invece, mangia di tutto:** (8)............ **pizza,** (9)............ **spaghetti e dorme tutto** (10)............ **giorno.**

B **Choose the correct anwser.**

1. **I bambini** (1)............ **ancora. Sono tanto stanchi che non** (2)............ **niente.**

(1) a) dormite
b) dormivano
c) dormono

(2) a) sento
b) sentono
c) sentiamo

2. Signora, (1)............ il caffè o (2)............ il tè?

(1) a) prendi
b) prende
c) prenda

(2) a) preferisce
b) preferisco
c) preferisca

3. Luisa (1).......................... di cambiare lavoro perché l'ufficio è lontano da casa e molte volte (2).......................... tardi.

(1)	a) pensi	(2)	a) parte
	b) pensa		b) arriva
	c) penso		c) abita

4. Giorgio non (1).......................... bene l'inglese, però (2).......................... quasi tutto.

(1)	a) parla	(2)	a) capisce
	b) parliamo		b) capite
	c) parlano		c) capisco

5. Io (1).......................... questo lavoro e (2).......................... per le vacanze.

(1)	a) finisco	(2)	a) parta
	b) finisci		b) parto
	c) finite		c) parte

6. La mamma non (1).......................... la casa ogni giorno perché (2).......................... tutta la settimana.

(1)	a) pulisca	(2)	a) lavoro
	b) pulisce		b) lavori
	c) pulisci		c) lavora

7. È una partita (1).........................., ma molto (2).......................... .

(1)	a) difficili	(2)	a) interessante
	b) difficoltà		b) interesse
	c) difficile		c) interessanti

8. Mary e Virginia sono due ragazze (1).......................... e non (2).......................... .

(1)	a) inglese	(2)	a) americane
	b) inglesi		b) americani
	c) inglesa		c) americana

C Solve the crossword puzzle.

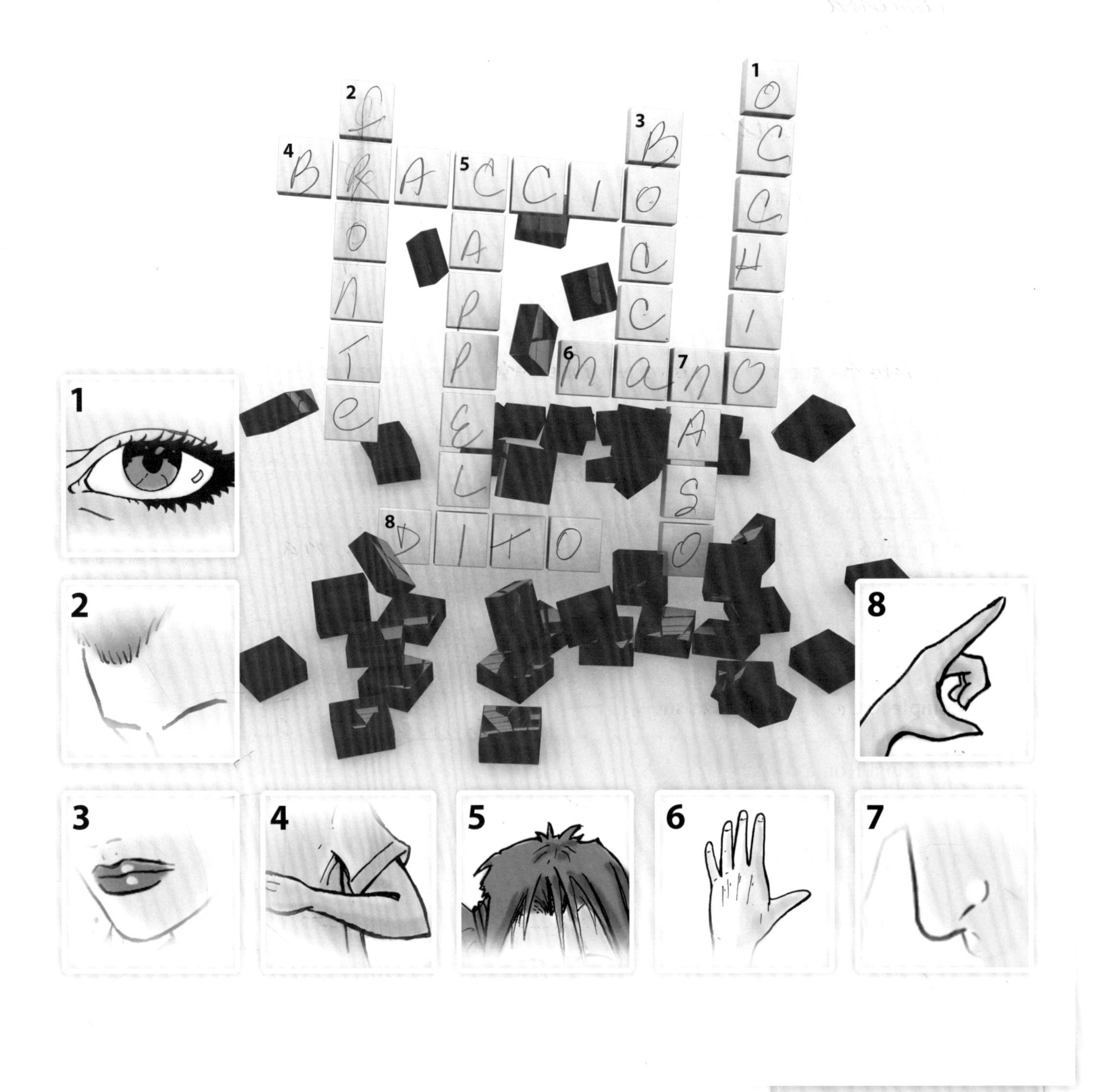

Risposte giuste: /34

Come passi il tempo libero?

(Glossary on page 157)

1 **Complete the sentences using the *presente indicativo* of the verbs given.**

1. *andare* Io .... spesso a mangiare al ristorante.
2. *venire* Domani Maria e Bruno .... a casa mia.
3. *andare* Antonio e Sergio .... in Francia.
4. *venire* Voi .... insieme a Marta?
5. *andare* Tu e Mariella .... a teatro domani?
6. *venire* .... anche tu in macchina?

2 **Complete the question or answer with the verbs *andare* or *venire*.**

1. Ragazzi, dove andate con questo caldo?	.... al mare.
2. .... anche tu in discoteca?	No, io non vengo; sono stanco.
3. Sapete se vengono in treno?	Io so che .... in macchina.
4. Quando vai in Italia?	.... in Italia fra una settimana.
5. .... al cinema o restate a casa?	Andiamo al cinema.
6. Quando viene Sara?	.... domani.

3 **Complete the sentences, as shown.**

> Io conosco tre lingue straniere.
> Noi *conosciamo* solo l'italiano.

1. Vado a Roma domani. — Noi .... a Roma fra due giorni.
2. Giorgio viene con Elena. — Loro .... con Marisa.
3. Esci con Paola e Gloria? — Voi, con chi ....?
4. Vado a mangiare una pizza. — Noi .... in discoteca.
5. Cerco di imparare l'italiano. — Noi .... di imparare l'inglese!
6. Non sai come si chiama? — Voi .... come si chiama?
7. Date il libro a Cinzia. — Cinzia, ... questo libro a Pietro?
8. Andiamo a bere qualcosa. — Io .... a bere qualcosa.

4 **Complete the sentences using the verbs given. See also the Grammar Appendix.**

1. *dire*	Lui non .... mai la verità.
2. *pagare*	Noi .... molto per questo appartamento.
3. *rimanere*	Giacomo e Valeria .... ancora qualche giorno in città.
4. *bere*	Io .... un caffè; tu cosa ....?
5. *spegnere*	Ragazzi, prima di andare a letto, ... la luce.
6. *rimanere*	Noi .... ancora un po'.
7. *fare*	Ragazze, che cosa .... quando uscite?
8. *dire*	Marco, che ...., andiamo al cinema?

5 **Fill in the blanks with the correct form of the verbs given.**

1. *uscire* Oggi Carlo non .... perché domani parte.
2. *stare* Noi .... davvero bene in questa città.
3. *fare* Per tornare a casa, Mario e Lidia .... sempre la stessa strada.
4. *dire* Molte persone non .... spesso la verità.
5. *bere* Giorgio, ... un altro bicchiere?
6. *pagare* Pagate sempre voi. Questa volta .... noi.
7. *dare* Saverio, ... tu il latte al bambino?
8. *cercare* Mina, da quanto tempo .... casa?

6 **Complete the sentences, as shown.**

Non posso restare, devo partire.
Non possiamo restare, dobbiamo partire.

1. Io voglio visitare Perugia.
   Noi .... Firenze.
2. Dovete far presto perché il treno parte.
   Luigi, ... perché il treno parte.
3. Alba e Chiara non possono restare di più.
   Sergio non .... di più.
4. Gianna deve fare attenzione in macchina.
   Tutti .... in macchina.
5. Lui non può pronunciare bene la zeta.
   Loro non .... bene la zeta.
6. Voi volete comprare un'auto.
   Tu .... una moto.
7. Non posso fare tutto oggi.
   Noi non .... oggi.
8. Tu devi andare al supermercato.
   Voi .... al supermercato?

7 **Complete the question or the answer.**

1. Vuoi bere qualcosa?	Grazie, non .... niente.
2. Allora, ...?	Sì, purtroppo dobbiamo partire.
3. Potete aspettare ancora un po'?	Sì, ... ancora un'ora.
4. .... i tuoi amici?	Non voglio invitare nessuno, sono stanco.
5. Devi leggere tutto il libro?	Sì, ... tutto il libro.
6. .... prima delle sette?	No, possiamo passare dopo le otto.

8 Complete the dialogue.

Anna: Ciao, ragazze, (*potere*) (1).. passare da me questa sera?

Laura: Sì, io (*potere*) (2)..; non so se (*potere*) (3).. Lidia.

Lidia: Io (*volere*) (4).. venire, ma (*dovere*) (5).. prima telefonare a Piero.

Laura: Vai a telefonare perché a quest'ora Piero (*dovere*) (6).. essere a casa.

Lidia: Se è libero, (*io potere*) (7).. portare anche lui?

Anna: Ma certo, è da tanto che mia madre (*volere*) (8).. conoscere Piero. Allora, ci vediamo stasera?

Laura: Certo! Ciao... e tanti saluti a tua madre!!

Lidia: Ciao... a stasera.

9 Complete, as shown.

312 = *trecentododici*

1. **259** = ...
2. **1.492** = ...
3. **873** = ...
4. **14°** = ...
5. **1.988** = ...
6. **8°** = ...
7. **871** = ...
8. **10°** = ...

10 Fill in the blanks with the missing prepositions.

1. Luigi va .... biblioteca ogni giorno.
2. Questa sera andiamo .... trovare Rita.
3. Appena finisco questo lavoro, vado .... vacanza.
4. Devo andare .... medico.
5. Andate .... Firenze o restate ancora un po' .... Roma?
6. Non so se andare .... Svizzera o .... Belgio.
7. Quest'anno non vado .... Sardegna, ma .... Sicilia.
8. Questo fine settimana non vado .... montagna, ma .... mare.

11 Fill in the blanks with the missing prepositions.

1. Vengo spesso .... Italia .... vacanza.
2. Aldo viene .... Napoli ogni fine settimana.
3. Non vengo solo, vengo .... Giorgio e Valerio.
4. **Ezio arriva oggi .... Venezia .... aereo.**
5. Stasera veniamo tutti .... casa tua.
6. **Vengo .... treno e non .... macchina.**
7. Oggi arriva un amico .... Londra.
8. Penso .... venire .... autobus.

12 Fill in the prepositions given.

in a da al a per in al a in

1. Partono questa sera .... Milano e arrivano domani.
2. **Oggi sono senza macchina e vado .... lavoro .... piedi.**
3. Vado un momento .... bagno.
4. Andiamo .... studiare .... Gino.
5. Vado .... ufficio e torno subito.
6. Preferisco andare .... macchina.
7. Veniamo .... supermercato anche noi.
8. **Noi andiamo .... comprare un profumo.**

13 Complete the sentences using the right expression.

1. **Dove andate .... quest'anno?**
2. **Alla fine pensi di viaggiare ....?**
3. **Nessun problema: faccio tutto ....**
4. **È vero che partite .... Maldive?**
5. **Prendi l'autobus o vieni ....?**
6. **È da molto tempo che non andiamo ....**

in treno
in vacanza
a piedi
per le
al cinema
da solo

14 Complete the passage using the days of the week.

Oggi, (1)........................, primo giorno della settimana tutto sembra brutto; invece ieri, (2)........................, allo stadio con Sergio e il giorno prima, (3)........................, con Rosa in discoteca, tutta un'altra musica. Vediamo adesso come passare bene questa settimana. Oggi devo studiare. Domani, (4)........................, la stessa cosa, perché dopodomani, (5)........................, è il compleanno di Anna. Restano due giorni prima del fine settimana: che cosa possiamo fare? (6)........................, porto Rosa a pranzo e il giorno dopo, (7)........................, vado a fare spese.

15 Che ore sono? Complete, as shown.

13.40: *Sono le tredici e quaranta / Sono le due meno venti.*

16.20 : ....
20.15 : ....
24.00 : ....
12.30 : ....
02.45 : ....
13.50 : ....

TEST FINALE

A Complete the passage using the correct form of the verbs given.

Luca lavora in centro. Ogni giorno (1-andare) .... in ufficio in bicicletta, qualche volta (2-prendere)........................ l'autobus. Di solito, (3-uscire) .... di casa alle 8.00, in Piazza Mazzini (4-incontrare)........................ Davide, un suo collega, e (5-fare)........................ colazione insieme prima di andare in ufficio. Oggi, Luca e Davide, quando (6-finire)........................ di lavorare (7-volere) .... andare allo stadio perché (8-giocare)........................ la nazionale cantanti. Non (9-sapere) .... se è facile trovare un parcheggio e così (10-andare) .... allo stadio in tram.

B Choose the correct answer.

1. Enzo, (1)........................ spesso a calcio? Un giorno (2)........................ giocare con noi?

(1)		(2)	
	a) giochiamo		a) vuoi
	b) gioco		b) deve
	c) giochi		c) sai

2. Se Giorgio (1)..viene.. con noi, (2)..possiamo.. andare tutti con una macchina.

(1) a) viene
b) vieni
c) vengo

(2) a) possiamo
b) vogliamo
c) sappiamo

3. A: Cara, stasera (1)..andiamo.. al cinema?
B: (2)..Volentieri.. Che film vuoi vedere?

(1) a) vogliamo
b) andiamo
c) vediamo

(2) a) Vuoi venire?
b) Volentieri!
c) Perché sì?

4. L'appartamento di Roberto è grande: ha tre (1)..camere da.., due bagni, una cucina, un soggiorno e un bellissimo (2).. con una grande libreria.

(1) a) camere con letto
b) camere di letto
c) camere da letto

(2) a) balcone
b) studio
c) ripostiglio

5. Il mio ufficio è al (1) 4° piano, l'ufficio del direttore è al (2) 18°.

(1) a) terzo
b) quinto
c) quarto

(2) a) diciottesimo
b) diciassettesimo
c) sedicesimo

6. Quando vado (1)..da.. mia madre in centro preferisco andare (2)..in.. autobus.

(1) a) in
b) da
c) a

(2) a) di
b) in
c) con

7. Sono le (1) 11.15 ed è (2).., domani è venerdì.

(1) a) undici quindici
b) undici e un quarto
c) undici e quarto

(2) a) lunedì
b) martedì
c) giovedì

8. Sono le (1) 8.35 e Giuseppe è ancora (2).. letto.

(1) a) otto e trentacinque
b) nove meno venticinque
c) venticinque alle nove

(2) a) da
b) in
c) a

C **Read the definitions and solve the crossword puzzle.**

ORIZZONTALI:
1. Sono dodici in un anno.
4. È necessario per entrare al cinema.
5. Quando ci sono tante macchine per strada.
7. Lo sport più famoso in Italia e non solo. calcio
8. Dire di sì ad un invito.
9. Il dialogo tra un cantante o un attore famoso e un giornalista.

VERTICALI:
2. Ha sette giorni.
3. È necessario per andare a una festa.
6. Un palazzo alto ha molti...

Risposte giuste: /35

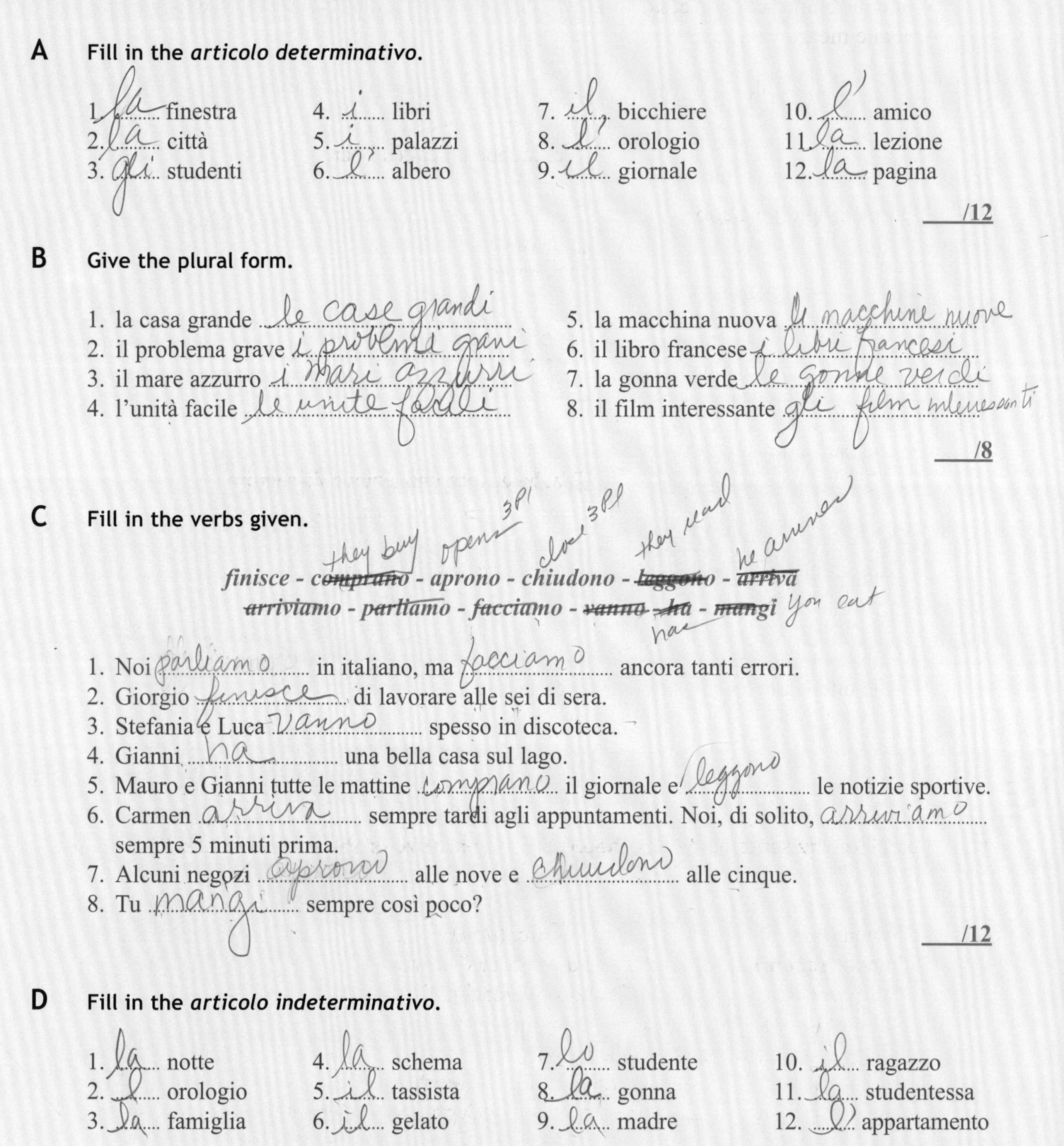

1st review quiz (introduction unit, units 1 and 2)

A **Fill in the *articolo determinativo*.**

1. .... finestra
2. .... città
3. .... studenti
4. .... libri
5. .... palazzi
6. .... albero
7. .... bicchiere
8. .... orologio
9. .... giornale
10. .... amico
11. .... lezione
12. .... pagina

/12

B **Give the plural form.**

1. la casa grande ....
2. il problema grave ....
3. il mare azzurro ....
4. l'unità facile ....
5. la macchina nuova ....
6. il libro francese ....
7. la gonna verde ....
8. il film interessante ....

/8

C **Fill in the verbs given.**

finisce - comprano - aprono - chiudono - leggono - arriva
arriviamo - parliamo - facciamo - vanno - ha - mangi

1. Noi .... in italiano, ma .... ancora tanti errori.
2. Giorgio .... di lavorare alle sei di sera.
3. Stefania e Luca .... spesso in discoteca.
4. Gianni .... una bella casa sul lago.
5. Mauro e Gianni tutte le mattine .... il giornale e .... le notizie sportive.
6. Carmen .... sempre tardi agli appuntamenti. Noi, di solito, ... sempre 5 minuti prima.
7. Alcuni negozi .... alle nove e .... alle cinque.
8. Tu .... sempre così poco?

/12

D **Fill in the *articolo indeterminativo*.**

1. .... notte
2. .... orologio
3. .... famiglia
4. .... schema
5. .... tassista
6. .... gelato
7. .... studente
8. .... gonna
9. .... madre
10. .... ragazzo
11. .... studentessa
12. .... appartamento

/12

E **Read the passage and choose the right sentence.**

Sono le otto e Carlo fa colazione. Saluta la madre e va all'università. Alle nove ha lezione di storia e alle dodici lezione d'inglese. All'una e trenta va a mangiare con alcuni amici; finiscono di mangiare alle due e mezzo. Vanno al bar e prendono un caffè. Sono già le quattro; alle quattro inizia la lezione di storia dell'arte: Carlo saluta i suoi amici e torna subito all'università per seguire la lezione, che finisce alle sei. Finalmente Carlo è libero di tornare a casa! Prende l'autobus e alle sette è a casa; alle otto cena con la famiglia e vede un po' di televisione. Alle undici e mezza va a letto.

1. Alle nove Carlo	❑ a. è all'università ❑ b. è ancora a casa sua ❑ c. prende un caffè al bar
2. A mezzogiorno Carlo	❑ a. ha lezione di storia ❑ b. va a mangiare ❑ c. ha lezione d'inglese
3. All'una e mezzo Carlo	❑ a. mangia con i suoi amici ❑ b. finisce di mangiare ❑ c. beve un caffè al bar
4. Alle sei Carlo	❑ a. è libero ❑ b. ha ancora una lezione da seguire ❑ c. resta all'università
5. Alle sette Carlo	❑ a. torna a casa ❑ b. esce con gli amici ❑ c. va al bar
6. Alle otto Garlo	❑ a. va a letto ❑ b. guarda la televisione ❑ c. esce con gli amici

____ /6

F **Complete the sentences using the *presente indicativo* of the verbs in brackets.**

1. Noi non (*sapere*) .... se Luisa (*arrivare*) .... domani.
2. Io non (*potere*) .... restare, (*dovere*) .... tornare a casa.
3. Io non (*sapere*) .... usare bene il computer.
4. Noi (*dovere*) .... partire domani molto presto.
5. Lui non (*bere*) .... vino, ma birra.
6. Dino (*dire*) .... sempre le stesse cose!
7. Io (*spedire*) .... un'e-mail a un vecchio amico.
8. Signora, (*volere*) .... venire a Capri questo fine settimana?

____ /10

Risposte giuste: /60

(Glossary on page 159)

1 **Fill in the prepositions given.**

per le   dal   dei   nell'   con i   per il   negli   degli

1. Vado .... dottore.
2. Vado .... Stati Uniti.
3. Parte .... isole Canarie.
4. Abita .... Italia centrale.
5. Vivo .... miei genitori.
6. Il quaderno .... esercizi.
7. Dov'è la casa .... genitori di Stella?
8. Prendo un gelato .... bambino.

2 **Fill in the *preposizioni articolate*.**

1. Cosa fa Teresa?
   Teresa va .... cinema. (*a*)
2. Chi è questo signore?
   È il direttore .... agenzia dove lavoro. (*di*)
3. Dove passiamo la serata?
   Passiamo la serata .... signori Baraldi. (*da*)
4. Quanti anni ha Luigi?
   Luigi ha 32 anni e vive ancora .... suoi genitori. (*con*)
5. Pronto, dove sei?
   Sono .... ufficio di un collega. (*in*)
6. Gli amici di Cristina sono tutti italiani?
   No, ... amici di Cristina c'è anche un giapponese. (*tra*)
7. Perché ami tanto Giovanna?
   Amo Giovanna .... suo carattere. (*per*)
8. Dove vai?
   Vado .... supermercato. (*a*)

3 **Fill in the correct *preposizioni semplici* or *preposizioni articolate*.**

1. La posta non è molto lontano .... fermata .... autobus.
2. Quanti giorni pensate di restare .... mia città?
3. Prendo spesso un'aspirina .... mal di testa.
4. Zio Roberto viene stasera .... 8 e le 9.
5. Se cerchi le chiavi di casa, sono .... mia borsa.
6. Giorgia arriva .... aereo .... otto.
7. Siamo tutti .... bar .... guardare la partita.
8. Vado .... comprare il giornale e torno.

4 Fill in the correct prepositions.

1. Finiamo .... studiare e andiamo .... mangiare una pizza.
2. Guardare molto la televisione fa male .... occhi e non solo!
3. Luigi ha un piccolo tatuaggio .... mano.
4. Non sempre i giovani preferiscono la discoteca .... teatro.
5. .... balcone .... mia casa vedo il mare!
6. Andiamo .... aeroporto: arriva Gianni .... Stati Uniti.
7. Devo finire questo lavoro prima .... otto.
8. La mia casa è vicino .... università.

5 Rebuild the sentences.

1. compleanno / tutti / il / tuo / per / Veniamo.
   ....
2. vestiti / due / mettere / tra / Non / so / questi / quale.
   ....
3. bellissimo / capelli / neri / ragazzo / è / un / con i / Gino.
   ....
4. esco / Appena / ufficio / vengo / dall' / a / casa.
   ....
5. in / teatro / piedi / a / o / macchina / a / Andiamo / ?
   ....

6 Complete the sentences using *preposizioni semplici* or *preposizioni articolate*.

1. Sono .... biblioteca. — Sono .... biblioteca dell'università.
2. Aspetto Maria .... casa. — Aspetto Maria .... bar.
3. Vado .... Russia. — Vado .... Russia centrale.
4. Un mese .... vacanze. — Agosto è il mese .... vacanze.
5. Parliamo .... sport. — Parliamo .... sport in Italia.
6. La penna è .... Claudio. — La penna è .... figlia di Claudio.
7. Uno .... voi deve uscire. — Una .... ragazze deve uscire.
8. Questa sera andiamo .... teatro. — Questa sera andiamo .... teatro *Ariston*.

7 Do the same as in the previous exercise.

1. Do una mano .... Giulio. — Diamo una mano .... nostri vicini.
2. Venite anche voi .... signori Baldi? — Venite .... Donatella?
3. Più tardi passate .... casa di Andrea. — Più tardi passate .... Andrea.

4. Biagio torna domani .... Bari. Biagio torna domani .... paese.
5. Chi .... ragazzi ha una penna rossa? Chi .... voi ha una penna rossa?
6. Quel ragazzo è il figlio .... signora Elsa. Quel ragazzo è il figlio .... Mario.
7. I libri sono .... quel tavolo. I libri sono .... tavolo.
8. Siamo qui .... poche ore. Siamo qui .... 9.

8 Complete the answers.

1. Dove lavori?
   - ❑ a. Lavoro .... banca.
   - ❑ b. Lavoro .... Banca Nazionale.
2. Quando arriva tuo zio?
   - ❑ a. Arriva oggi .... aereo.
   - ❑ b. Arriva oggi .... aereo delle 22.
3. Dove vai?
   - ❑ a. Vado .... ufficio.
   - ❑ b. Vado .... ufficio accanto.
4. Dove passi le vacanze?
   - ❑ a. Passo le vacanze .... Francia.
   - ❑ b. Passo le vacanze .... Francia del Sud.
5. Come vai a Torino?
   - ❑ a. Vado a Torino .... macchina.
   - ❑ b. Vado a Torino .... macchina di Enrico.

9 Complete the short dialogue.

- Parti .... Francia, vero?
- Sì, ma non adesso. Parto .... un mese, ... aprile.
- E cosa vai .... fare?
- Ho alcuni amici e vado .... passare alcuni giorni con loro.
- Questi amici abitano .... Parigi?
- No, abitano .... un paese .... Sud.

10 Put the sentences in plural, as shown.

Spedisco una lettera.
Spediamo delle lettere.

1. Ho un amico australiano. ....
2. Compro un regalo a Gianni. .... ai ragazzi.
3. Porta un vestito nero. ....
4. Esce spesso con una ragazza italiana. ....
5. Viene a cena una persona importante. ....
6. Gianni è un bravo ragazzo. Gianni e Paolo ....

11 Answer the questions.

1. Quando pensate di tornare a casa?
   Pensiamo di tornare verso .... 14,30.
2. Sai che ore sono?
   Sì, sono .... 9.
3. Quando posso vedere il direttore?
   Tutti i mercoledì, ... 10 .... 12.
4. Quando parte il prossimo treno per Venezia?
   Parte ....alle.... 18.
5. A che ora pensi di uscire?
   Penso di uscire verso ....le.... 9,30.
6. Restate ancora per molto?
   No, restiamo fino ....alle.... 11.
7. Scusi, che ora è?
   ....È.... mezzogiorno.
8. Fino a che ora rimani?
   Rimango fino ....all'.... 1.

12 Complete the sentences with the correct time.

1. Sono alla stazione. Sono le tre e il treno parte fra 15 minuti.
   Il treno parte ....
2. Sono le sei. Carlo deve incontrare Anna fra un'ora.
   Carlo incontra Anna ....alle sette....
3. Sono le cinque. Aspetto Maria da un'ora.
   Aspetto Maria ....dalle quatro....
4. Mariella guarda l'orologio. È l'una: fra 45 minuti finisce di lavorare.
   Mariella finisce di lavorare ....al'una quatrocinque....
5. Sono le undici. Devo vedere il professore fra 30 minuti.
   Devo vedere il professore ....alle....
6. Sono le tre. Il treno parte fra un'ora e mezzo.
   Il treno parte ....alle quatro mezzo....
7. Sono le undici. Devo essere a pranzo fra due ore.
   Devo essere a pranzo ....alle tredici....
8. Sono le otto. Ho una lezione all'università fra un'ora.
   Ho una lezione all'università ....alle nova....

13 Complete the sentences using the words given.

1. Io abito al quarto piano, Antonio al quinto. Antonio abita al piano di ....
2. Non conosco la famiglia che abita nell'appartamento .... al mio.
3. Nei paesi del Nord la temperatura scende spesso .... lo zero.
4. Il gatto dorme sempre .... la porta del bagno.
5. I libri sono tutti .... una borsa grande.
6. Per andare in ospedale non devi girare a destra, ma a ....

dentro
sopra
sotto
sinistra
accanto
dietro

14 Rebuild the sentences.

1. Lascio / nel / dietro / la / parcheggio / macchina / il / cinema.
....
2. dovete / Per / alla / girare / birreria / arrivare / a / destra.
....
3. La / Annalisa / di / villa / è / a / quella / di / accanto / Marcello.
....
4. abbiamo / io / un / Marisa / ed / dentro / appuntamento / la / stazione.
....
5. negozio / è / di / supermercato / Luca / davanti / Il / al.
....

15 Mark the right sentence with an x.

1. ☐ a. Il bar *Dante* è sotto della casa mia.
   ☐ b. Il bar *Dante* è sotto casa mia.
   ☐ c. Il bar *Dante* è sotto alla mia casa.

2. ☐ a. Il biglietto è dentro la mia borsa.
   ☐ b. Il biglietto è dentro della mia borsa.
   ☐ c. Il biglietto è dentro dalla mia borsa.

3. ☐ a. La mia casa si trova dietro dello stadio San Paolo.
   ☐ b. La mia casa si trova dietro lo stadio San Paolo.
   ☐ c. La mia casa si trova dietro dallo stadio San Paolo.

4. ☐ a. Capri è davanti al Golfo di Sorrento.
   ☐ b. Capri è davanti del Golfo di Sorrento.
   ☐ c. Capri è davanti Golfo di Sorrento.

5. ☐ a. Non conosco i vicini dell'appartamento all'accanto.
   ☐ b. Non conosco i vicini dell'appartamento di accanto.
   ☐ c. Non conosco i vicini dell'appartamento accanto.

16 Fill in *c'è* or *ci sono*.

1. Mangiate bene in quel ristorante?
   Sì, quando .... poca gente.
2. Fai la doccia?
   No, perché non .... acqua calda.
3. Quanti ragazzi stranieri .... nella tua classe?
   Otto o nove, se non sbaglio.
4. Vai al Salone dell'auto di Torino?
   Certo: quest'anno .... veramente tante novità.
5. Questa città non sembra molto interessante!
   Sbagli, ... tante cose da vedere.
6. Vieni a cena da noi?
   Sì, se .... qualcosa di buono da mangiare!
7. Ma tu non esci mai?
   Certo che esco! Ma solo quando .... il sole!
8. Vieni anche tu al concerto di Gigi D'Alessio?
   Sì, se .... ancora biglietti.

Gigi D'Alessio

17 Complete the answers using the expressions given.

1. Allora, vieni o resti?
   .... se restare ancora un'oretta o andare via.
2. Sai se c'è lo sciopero dei professori?
   .... sì, ma posso guardare sul giornale.
3. Ma questa strada porta in centro?! Sei sicuro?
   .... al cento per cento, speriamo bene!
4. Andiamo al cinema stasera?
   Stasera no, ... un'altra volta.
5. Quando finisci di studiare?
   .... di finire verso le nove.
6. Ma Gianni lavora ancora nello stesso ufficio con Marcella?
   Sì, lavora ancora lì, ...!

mah, non so
penso
almeno credo
non sono sicuro
magari
probabilmente

18 Fill in the *possessivi*, as shown.

Ho un'amica che si chiama Paola.
La mia amica si chiama Paola.

1. Maria lascia sempre la macchina nel garage.
   .... macchina è in garage.
2. Sai dov'è il mio quaderno?
   Sì, ... quaderno è sul tavolo.

3. Hai una casa bella.
   .... casa è veramente bella.
4. Michela ha una borsa nuova.
   .... borsa è nuova.
5. Dov'è la mia penna?
   È questa .... penna?
6. Ho un gatto piccolo.
   .... gatto è molto piccolo.

19 **Complete the following short dialogues: thank or reply to being thanked.**

1. **per strada**
- Signora, sa dov'è via Settembrini?
- Sì, è la terza strada a destra.
- ....
- ....

2. **a casa con un amico**
- **Lucio, puoi prestare questo libro alla mia ragazza?**
- **Certamente.**
- ....
- ....

3. **al ristorante**
- **Non ho abbastanza soldi con me, paghiamo con la tua carta di credito?**
- Nessun problema.
- ....
- ....

20 **Answer the questions.**

1. In quale stagione cadono le foglie degli alberi? ....
2. In quale stagione andiamo al mare a fare il bagno? ....
3. In quale stagione mettiamo i vestiti più pesanti? ....
4. In quale stagione comincia a rivivere la natura? ....

21 **Complete, as shown.**

Questa auto costa (*18.000*) *diciottomila* euro.

1. La distanza da Roma a New York è di (*4.282*) .... km.
2. Ogni anno più di (*75.000*) .... persone vanno allo stadio per il derby Milan-Inter.

3. Milano ha circa (*2.000.000*) .... di abitanti.
4. Sai quanto costa quella villa? (*560.000*) .... euro!
5. Ogni giorno più di (*15.000*) .... persone visitano San Pietro.
6. Mia moglie vuole comprare un divano che costa (*2.600*) .... euro!

22 Ascolto

23

Listen to the recording and complete the table which follows.

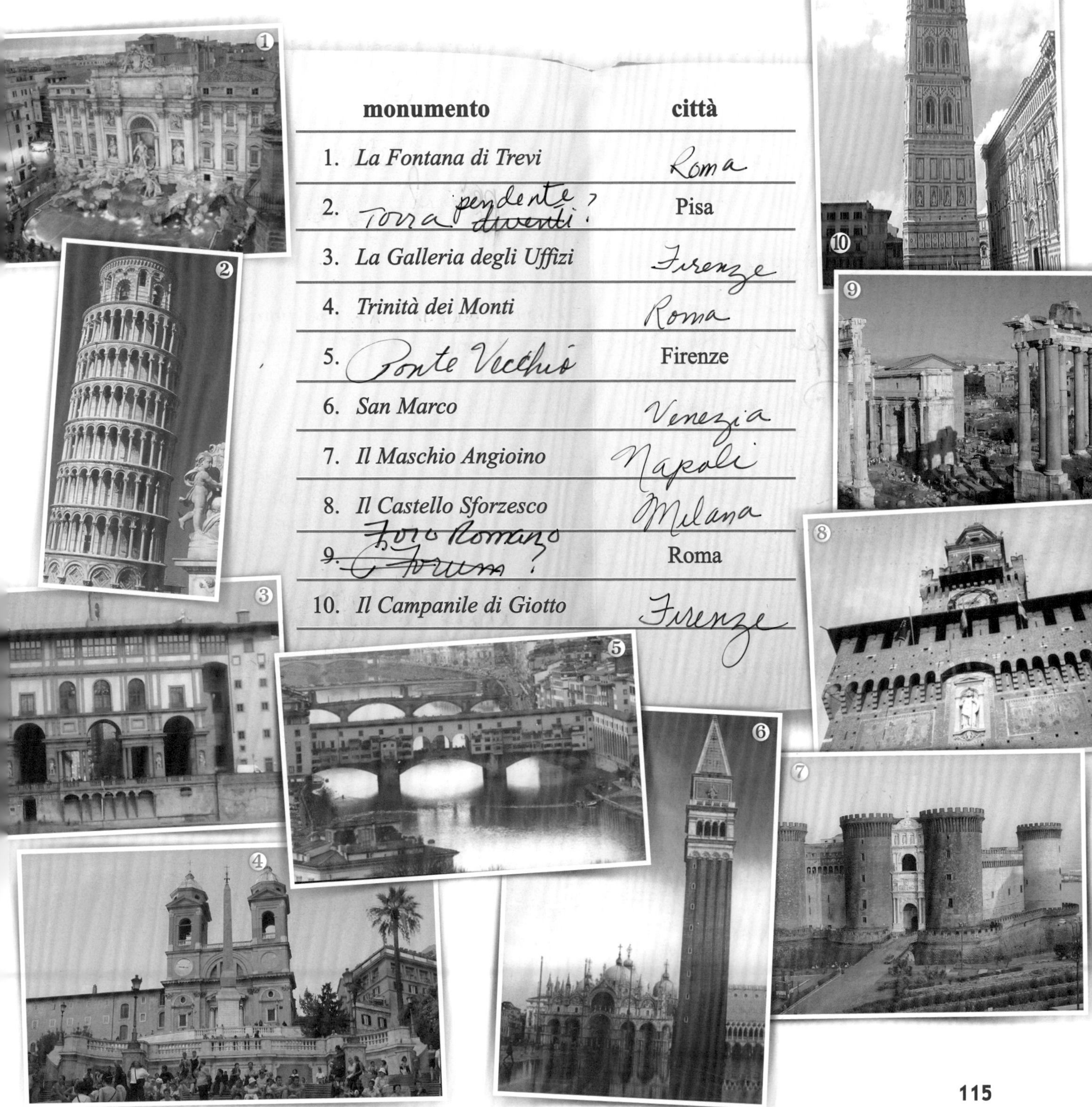

monumento	città
1. *La Fontana di Trevi*	Roma
2. Torra pendente diventi?	Pisa
3. *La Galleria degli Uffizi*	Firenze
4. *Trinità dei Monti*	Roma
5. Ponte Vecchio	Firenze
6. *San Marco*	Venezia
7. *Il Maschio Angioino*	Napoli
8. *Il Castello Sforzesco*	Milana
9. ~~Forum?~~ Foro Romano	Roma
10. *Il Campanile di Giotto*	Firenze

TEST FINALE

A Fill in the correct prepositions (*semplici* or *articolate*).

Gabriella lavora (1)................ un ufficio, (2)................ centro (3)................ Milano. Per essere (4)................ lavoro (5)................ 9 deve uscire di casa (6)................ 7.30. (7)................ la sua macchina va fino (8)................ stazione (9)................ metropolitana più vicina. Parcheggia, prende la linea 2 del metrò e scende (10)................ Piazza Duomo. Ma il suo viaggio non finisce qui, deve salire (11)................ tram 19 e scendere dopo tre fermate. Qualche volta, quando arriva presto, non prende il tram e va (12)................ piedi.

B Choose the correct answer.

1. Signora Viuzzi, (1)................ cosa parla (2)................ suo ultimo libro?
   (1) a) per b) con c) di
   (2) a) dal b) nel c) per il

2. Paola (1)................ cinque anni va ogni settimana (2)................ psicologo.
   (1) a) di b) per c) da
   (2) a) con lo b) dallo c) allo

3. Quale (1)................ tra i colori che (2)................?
   (1) a) scegli b) sali c) scendi
   (2) a) c'è b) sono c) ci sono

4. Io (1)................ spesso delle margherite quando arriva (2)................ .
   (1) a) raccoglie b) raccolga c) raccolgo
   (2) a) la primavera b) le estati c) dicembre

5. L'Italia ha circa (1) 60.000.000 di abitanti, tra questi circa (2) 3.000.000 sono stranieri.
   (1) a) settanta milioni b) seicento milioni c) sessanta milioni
   (2) a) trecentomila b) tre milioni c) tremila

6. Vicino alla mia casa, (1)................ un cane che (2)................ tanta compagnia a un piccolo gatto.
   (1) a) c'è b) è c) ci sono
   (2) a) tiene b) tenga c) tengo

7. Nella mia camera (1)............................ letto c'è l'armadio e (2)............................ una poltrona.

(1)	a) tra il	(2)	a) sotto
	b) intorno		b) a sinistra
	c) a destra del		c) accanto alla

8. A: Dov'è il libro di storia che leggo?
B: Perché non cerchi (1)............................ libri che sono (2)............................ tua scrivania?

(1)	a) davanti agli	(2)	a) accanto
	b) tra i		b) sulla
	c) dentro gli		c) tra

C Solve the crossword puzzle.

Risposte giuste: /38

(Glossary on page 160)

1 Put the sentences in plural, as shown.

Ho parlato con Lucia.
Abbiamo parlato con Lucia.

1. Ho visitato tutti i musei della città.
   ....
2. Anna ha spedito un'e-mail.
   Anna e Marco ....
3. Ho comprato il regalo per Tonino.
   ....
4. Giuseppe ha studiato in Francia.
   Giuseppe e Flavia ....
5. Cecilia, hai mangiato il dolce?
   Ragazze, ...
6. Giulia, hai telefonato a Filippo ieri?
   Ragazze, ...
7. Hai guardato la tv ieri sera?
   ....
8. Perché hai lasciato la porta aperta?
   ....

musei Vaticani

2 Write the sentences in the past.

1. Compro un cd di Laura Pausini. ....
2. Ho un cane molto bello. ....
3. Parliamo spesso di lavoro. ....
4. Incontro Mario per strada. ....
5. Ascoltiamo con attenzione. ....
6. Valerio porta un suo amico. ....
7. Non vendete la macchina? ....
8. I Rossi cambiano casa. ....

3 Write the sentences using the *passato prossimo*.

1. Parto per la Spagna. ....
2. Sono in Italia per motivi di lavoro. ....
3. Passiamo prima da Angela e poi da te. ....
4. I ragazzi arrivano domani. .... ieri.
5. È una gita molto interessante. ....
6. Torno subito. ....
7. Le ragazze entrano in classe. ....
8. Usciamo a fare spese. ....

4 Write in plural.

1. È tornata dalle vacanze. ....
2. Genny ha avuto mal di testa. Genny e Sonia ....
3. Ho passato due settimane a Firenze. ....
4. Elio è partito per Cuba. Elio e Mara ....
5. Sono arrivata prima dell'inizio del film. ....
6. Marta è restata a casa tutto il giorno. Marta e sua sorella ....
7. Ho finito prima e sono uscita presto. ....
8. La ragazza ha superato l'esame. Le ragazze ....

5 Complete the answer or question.

1. È arrivata la posta?
   No, non .... ancora.
2. Avete cercato bene nel cassetto?
   Ma certo che ....
3. .... ieri?
   No, non siamo usciti alla fine, siamo restati a casa.
4. Hai finito in tempo il lavoro?
   Sì, ... tutto.
5. Dove .... tutto questo tempo?
   Sono stata in Germania.
6. Avete lavorato fino a tardi?
   Purtroppo sì, ... fino alle dieci di sera.
7. ....?
   Mi dispiace, ma non ho ricevuto la tua lettera.
8. Quando siete tornate?
   .... due giorni fa.

6 Rewrite the sentences using the *passato prossimo*.

1. Michele suona la chitarra. .... ➪ Il suo telefonino suona tutto il giorno. ....
2. Il clima cambia molto velocemente. .... ➪ I signori Antonucci cambiano casa. ....
3. Passo da Nicola dopo le sei. .... ➪ Passo molto tempo con Carla. ....
4. Il film finisce in modo triste. .... ➪ Finisco di studiare alle quattro. ....
5. Salgo due piani a piedi. .... ➪ Salgo da Maria a bere un caffè. ....

7 **Underline the right word.**

1. Solo **allora/poi** ho capito tutto.
2. Ho controllato la macchina e **prima/poi** sono partito tranquillo.
3. Ha finito presto, **così/dopo** è potuta venire al cinema!
4. Ho incontrato Giorgio **prima/allora** della lezione.
5. Antonio ha finito di leggere il libro **alla fine/dopo** una settimana.
6. Luigi ha litigato con Lucia e **prima/alla fine** è uscito da solo.
7. È arrivato **prima di/così** noi e ha dovuto aspettare.
8. Sono arrivato a casa di Mario **dopo/poi** le otto di sera.

8 **Complete the following sentences using the *passato prossimo* of the verbs given.**

1. Serena (*leggere*) .... questo libro in una notte!!!
2. La festa (*essere*) .... veramente bella.
3. Fiorenza, (*chiudere*) .... bene la tua valigia?
4. Noi (*decidere*) .... di non andare con loro in gita.
5. I signori Motta (*vincere*) .... un viaggio a Praga.
6. Quello che (*voi fare*) .... è veramente importante.
7. Come sapete del mio arrivo, se non (*io dire*) .... niente a nessuno?
8. I ragazzi (*correggere*) .... da soli gli esercizi.

9 **Write the sentences in the *passato prossimo*.**

1. Marco apre una tabaccheria in centro.
....
2. Spengo la luce e vado a dormire.
....
3. Rispondiamo a tutte le domande del professore.
....
4. L'azienda offre un viaggio a Singapore al suo direttore.
....
5. Spendo quasi tutto in viaggi.
....
6. Non scegli con cura il tuo abbigliamento.
....
7. Il suo carattere non piace a molte persone.
....
8. Conosco Pino grazie a un vecchio amico.
....

10 Complete the answers with *ci*.

1. Siete rimasti molto a Venezia?
   No, ... solo pochi giorni.
2. È vero che vai al concerto di Claudio Baglioni?
   Sì, ... con la mia ragazza.
3. Perché vivete in centro?
   .... perché il mio lavoro è in centro.
4. Hai guardato nel cassetto?
   Certo che ....

5. Cosa hai messo nella borsa?
   .... solo alcuni libri.
6. Chi abita nell'appartamento di sotto?
   .... dei ragazzi spagnoli.

7. Passate molte ore in palestra?
   No, ... solo 2-3 ore al giorno!
8. Ultimamente sei stato in Svizzera?
   Sì, ... per motivi di lavoro.

11 Fill in the words given on the right.

1. Per me la matematica è .... stata una cosa difficilissima.
2. Il mese non è ancora finito e noi abbiamo .... speso tutti i soldi!
3. Sono passate più di due ore e Vittoria non ha .... telefonato.
4. All'ultimo momento è arrivata .... Rosa.
5. Non ho .... visto uno spettacolo così bello!
6. È andato via e da quel momento non ha .... dato sue notizie.
7. Come vedi ho .... finito di parlare al direttore del tuo problema.
8. Siamo .... passati da casa tua!

già
appena
più
ancora
anche
mai
sempre
anche

12 Correct any errors in the sentences.

1. Ho dovuto andare alla posta per spedire un telegramma. ....
2. È voluta comprare una gonna cortissima. ....
3. Siamo dovuti prendere una decisione molto importante. ....
4. I ragazzi sono potuti scendere con l'ascensore. ....
5. Come siete potuti credere a tutte queste cose? ....
6. Siamo dovuti tornare a casa a piedi. ....
7. Siamo potuti fare gli esercizi con l'aiuto del vocabolario. ....
8. Hanno voluto prendere l'aereo delle nove. ....

13 Write the following sentences in the *passato prossimo*.

1. Da Piazzale Michelangelo i turisti possono vedere tutta Firenze.
   ....
2. Per far presto devo passare da una stradina di campagna.
   ....
3. Carlo ancora una volta vuole fare di testa sua!
   ....
4. Vogliamo vedere tutto il programma.
   ....
5. Per comprare la casa al mare deve fare due lavori.
   ....

6. Mi dispiace, ma non posso fare niente per il tuo amico!
   Mi dispiace, ma ....
   ....
7. Non posso tornare per l'ora di cena.
   ....
8. Voglio sposare Roberto, il mio primo amore.
   ....

14 Complete with the *passato prossimo* of the verbs given.

1. *volere* (tu) — Perché non .... venire con me a teatro?
2. *potere* (io) — Ieri non .... andare a scuola.
3. *dovere* (noi) — Per trovare la casa di Marco, ... chiedere informazioni.
4. *volere* (loro) — Non .... rimanere un minuto in più!
5. *dovere* — Stefano .... partire da solo.
6. *potere* — Io non .... preparare la lezione in tempo!
7. *dovere* (noi) — .... ritornare prima di mezzanotte.
8. *potere* — Francesca e Gianni non .... vedere lo spettacolo.

26 15 Ascolto

a. Two couples (Alberto and Valeria, Giulio and Alessia) are at a cafe. Listen to the two dialogues once or twice and mark what each of them ordered.

	Alberto	Valeria	Giulio	Alessia
caffè espresso				
cappuccino				
caffelatte				
spremuta d'arancia				
bibita				
cornetto				
panino con prosciutto crudo e mozzarella				
panino con prosciutto cotto e mozzarella				
tramezzino con tonno e maionese				
tramezzino con uova e prosciutto cotto				
birra alla spina piccola				
birra alla spina media				
birra in bottiglia				
pezzo di torta				
gelato				

b. Listen again and indicate if the sentences are true or false.

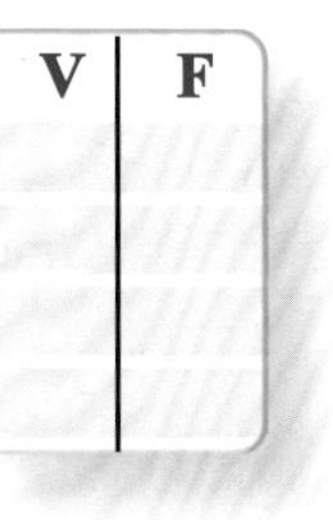

	V	F
1. Valeria non mangia spesso cioccolato.		
2. Alberto ha molta fame.		
3. Giulio ha già bevuto un caffè.		
4. Alessia preferisce il caffè amaro.		

16 Complete the dialogue.

- Ciao Emma, cosa (*fare*) (1).. in questi giorni?
- Niente di speciale. Io e mio marito, (*andare*) (2)................ .... una volta al cinema e poi come al solito (*rimanere*) (3).. a casa.
- Allora non (*voi passare*) (4).. una bella settimana?
- **No, ma (*avere*) (5).. il tempo di cambiare i mobili del soggiorno.**
- Ah, bene! ...Senti, in questi giorni (*vedere*) (6).. Martina?
- Sì, (*venire*) (7).. a casa nostra due o tre volte; (*tornare*) (8)................ .... da poco dagli Stati Uniti dove (*conoscere*) (9).. un bel ragazzo che ora vive con lei.

17 **Write short stories using the following information.**

1. *Mio fratello / vivere molto tempo fuori Italia / dimenticare come mangiare italiani.*

....
....
....
....

2. *Ieri / bar sotto casa / incontrare Nicola / prendere caffè insieme / andare in giro negozi / Nicola comprare una cintura / io non comprare niente.*

....
....
....
....

3. *Questa mattina / noi non potere andare lavoro autobus / sciopero mezzi trasporto / ma non restare a casa / telefonare Piero / andare lavorare sua macchina.*

....
....
....
....

18 **Fill in the prepositions.**

1. Andrea è andato .... mare insieme .... Irene.
2. Vivere .... centro .... città è importante .... il mio lavoro.
3. Sono tante le persone che vanno .... estero .... imparare una lingua straniera.
4. Il mio appartamento è .... quinto piano .... un vecchio palazzo vicino .... Piazza del Popolo.
5. Lavoro .... più .... 10 anni .... stesso ufficio e vedo sempre le stesse persone!
6. Penso spesso .... vostro problema.
7. Ho conosciuto un ragazzo .... occhi azzurri e .... capelli neri.
8. Un buon caffè appena scendo .... letto e sono pronto .... affrontare un'altra giornata.

19 As before.

1. Umberto Eco è uno scrittore amato .... Italia e .... estero.
2. Mi piace tanto andare .... cinema, qualche volta vado anche .... teatro.
3. Quando abbiamo visitato New York siamo saliti .... Statua .... Libertà.
4. Meglio restare a casa o andare a vedere la partita .... calcio .... stadio?
5. Il prossimo treno .... Bologna parte .... un'ora.
6. Le discussioni .... padre e figlio generalmente non finiscono bene.
7. .... quando è tornato .... isole Canarie, Nicola sembra un'altra persona.
8. Mangio spesso .... questo ristorante.

TEST FINALE

A Fill in the correct auxiliary (*essere* or *avere*).

Ieri, dopo tanti mesi, Massimo (1)........................ voluto fare un giro per le strade del centro della città. Per andarci (2)........................ preso l'autobus 19A ed (3)........................ sceso esattamente in Piazza Garibaldi. È qui che Massimo, per caso, (4)........................ incontrato Carla. Insieme (5)........................ entrati al bar "da Orlando". Massimo (6)........................ preso un caffè, Carla (7)........................ bevuto una spremuta d'arancia e (8)........................ mangiato un tramezzino. Verso mezzogiorno, Carla (9)........................ dovuta andar via. Così Massimo (10)........................ uscito dal bar e (11)........................ potuto continuare la sua passeggiata.

B Choose the correct answer.

1. Luca (1).. da Parigi dove (2).. un appartamento.

(1)	a) ha tornato	(2)	a) è comprato
	b) è tornata		b) ha comprato
	c) è tornato		c) ha comprata

2. L'ultimo autobus (1).. 10 minuti fa, per questo (2).. il taxi.

(1) a) ha passato
b) passa
c) è passato

(2) a) siamo presi
b) abbiamo preso
c) è preso

3. Giovanni (1).. in ospedale appena (2).. la notizia della nascita di Carlo.

(1) a) è corso
b) hanno corso
c) avete corso

(2) a) ha ricevuto
b) abbiamo ricevuto
c) avete ricevuto

4. Ragazzi, perché (1).. salire sul treno non (2).. il biglietto?

(1) a) prima di
b) prima
c) dopo

(2) a) convalidano
b) siete convalidati
c) avete convalidato

5. Il fratello di Lorenzo è nato (1).. del 1985, mentre la sorella, che è più piccola, è nata (2)...

(1) a) nel 23 marzo
b) 23 marzo
c) il 23 marzo

(2) a) a giugno 1990
b) il giugno del 1990
c) nel giugno del 1990

6. (1).. c'è stata una festa all'università. Maria, tu (2)..?

(1) a) La settimana scorsa
b) Settimana fa
c) Settimana passata

(2) a) sei andataci
b) ci sei andata
c) andarci

7. A: Francesco, hai (1).. ordinato?
B: No! Io vorrei bere un (2).. E tu, Paola?
A: A quest'ora preferisco un (3)..

(1) a) sempre
b) ancora
c) già

(2) a) cappuccino
b) gelato
c) tramezzino

(3) a) caffè corto
b) caffè macchiato
c) caffè sbagliato

8. I ragazzi non (1).. fare gli esercizi perché (2).. andare dal medico.

(1) a) sono dovuto
b) hanno potuto
c) hanno saputo

(2) a) sono dovuti
b) hanno voluto
c) siete potuti

C Read the definitions and solve the crossword puzzle.

ORIZZONTALI:
2. Acqua in bottiglia.
4. In bottiglia, in lattina o alla spina, ma quasi sempre molto fredda.
5. Un espresso con un po' di latte.
7. Un panino al bar: .... crudo e mozzarella.
8. Alcuni sono anche tabaccherie.

VERTICALI:
1. La Coca cola è forse quella più famosa.
3. Insieme alla mozzarella, è necessario per la preparazione della pizza.
6. Lì paghiamo e ritiriamo lo scontrino.

Risposte giuste: /36

5 Unità — Feste e viaggi

(Glossary on page 162)

1 **Complete, as shown.**

> Parlerò di te al direttore.
> *Parleremo di voi al direttore.*

1. Eros Ramazzotti presenterà il nuovo cd.
   I Nomadi ....
2. Con questo traffico perderai il treno.
   Ragazzi, ...
3. Marco cambierà appartamento.
   Marco e Lucia ....
4. Ascolterò con attenzione la sua proposta.
   ....
5. Scenderete con l'ascensore?
   .... a piedi?
6. Quando finirai questi esercizi?
   Quando ....
7. Passerete le vacanze in montagna?
   .... al mare?
8. Resterò fino alla fine dell'estate.
   Noi .... fino al 15 luglio.

2 **Complete with the *futuro* of the verbs in brackets.**

1. Franco ha deciso: (*stare*) .... da noi per tutto il mese di giugno.
2. I ragazzi (*avere*) .... sicuramente fame!
3. Non (*noi essere*) .... a Milano prima del 5 settembre.
4. Come (*voi fare*) .... ad arrivare a casa con questo tempo?
5. Se non sbaglio, domani (*tu avere*) .... molto da fare!
6. Signora, (*fare*) .... in tempo a venire all'appuntamento?
7. State tranquilli, (*noi stare*) .... molto attenti.
8. Il mese prossimo mio figlio (*dare*) .... un esame difficile.

3 **Complete with the *futuro* of the verbs given.**

1. La signora Pina ...avrà... qualche problema con il marito!	*avere*
2. ...Staremo... da Michele solo alcuni giorni.	*Noi stare*
3. Il libro che cerchi ...sarà... in un cassetto.	*essere*
4. Se non puoi adesso, ...farai... questo viaggio un'altra volta.	*fare*
5. Se Giulia non viene, significa che ...~~sarà~~ avrà... da fare.	*avere*
6. Domani sera le sorelle di Donatella ...daranno... una festa.	*dare*
7. Chi ...sara... quel ragazzo che è con Marta?	*essere*
8. Penso che i ragazzi ...avranno... voglia di venire con noi.	*avere*

4 Complete the dialogue.

Paolo: Ragazzi, cosa (*voi fare*) (1) farete dopo la laurea?
Giacomo: Io (*tornare*) (2) tornero a casa e forse (*lavorare*) (3) lavorero nell'ufficio di un mio zio.
Paolo: E tu, Riccardo?
Riccardo: Io (*vedere*) (4) vedro. Con la mia laurea non (*essere*) (5) sarà facile trovare un buon posto, forse (*aprire*) (6) apriro una farmacia.
Giacomo: E tu, Paolo?
Paolo: Mio padre (*essere*) (7) sarà contento perché finalmente (*lui avere*) (8) avra un figlio laureato. (*Noi restare*) (9) resteremo a Milano per un po' e poi io e la mia famiglia (*andare*) (10) andremo a vivere in Svizzera. All'inizio (*essere*) (11) sarà un po' difficile, ma lì la vita è più tranquilla.

5 Do the same as in the previous exercise.

Tonino: Che brutta situazione, cosa (*succedere*) (1)..........?
Gianni: Un bel niente, (*vedere*) (2).......... Luigi dice spesso che (*lasciare*) (3).......... Martina, che (*partire*) (4).......... e non (*tornare*) (5).......... più. Ma sono sicuro che alla fine (*loro trovare*) (6).......... come le altre volte una soluzione, lui (*chiedere*) (7).......... scusa e (*dire*) (8).......... che non può vivere senza lei.
Tonino: E se, invece, (*fare*) (9).......... come dice?
Gianni: Se (*andare*) (10).......... via veramente, non (*essere*) (11).......... la fine del mondo. All'inizio non (*essere*) (12).......... facile, ma poi i ragazzi (*diventare*) (13).......... grandi e Martina, che è ancora giovane, forse (*trovare*) (14).......... un altro compagno.

6 Answer the questions.

1. Quante persone sono?
   Sarranno una ventina.
2. Guarda la figlia del dottor Sensi; secondo te, quanti anni ha?
   Avra 20, forse 22 anni.
3. Bevi molti caffè?
   No, berro due o tre caffè al giorno.
4. Sai dov'è Piazza Cavour?
   Sarà vicino alla stazione centrale.

5. Quanto dura il viaggio da Firenze a Bologna?
   .... due ore.
6. Chissà quanti soldi hanno i Bianchi!
   Tutte storie: .... sì e no cinquantamila euro in banca.
7. Quanto manca all'inizio della partita?
   .... sì e no mezz'ora.
8. Quant'è alta la torre di Pisa?
   .... alta circa trenta metri.

7 **Complete the answers with the *futuro* of the verbs given.**

1. Farai tardi come l'altra volta?
   Stai tranquilla: (*essere*) .... puntuale come un orologio svizzero.
2. È vero che hai trovato un nuovo lavoro?
   Sì, (*iniziare*) .... la settimana prossima!
3. Spegnete voi le luci quando uscite dall'ufficio?
   Sì, (*spegnere*) .... tutto noi.
4. Sei andato in Spagna e non hai portato nemmeno un souvenir?
   Quando vado in Italia, (*portare*) .... un regalino a tutti.
5. Ma come!? Nessuno ha lavato i piatti?
   Va bene, mamma: (*lavare*) .... tutto io adesso!
6. Ma è possibile che in sei mesi avete dato solo un esame?
   Hai ragione, da domani (*studiare*) .... giorno e notte.
7. Sei tornato di nuovo tardi?
   Sì, ma prometto che non (*fare*) .... più tardi.
8. Sono le sette e ancora non avete finito?
   Stai tranquillo: (*finire*) .... prima delle nove.

8 **Complete, as shown.**

Se continua a piovere, non esco.
Se continuerà a piovere, non uscirò.

1. Se trova i soldi, viene anche lei in Thailandia.
   ....
2. Se finisco prima, vado a trovare Carmen.
   ....
3. Se prendi un'aspirina, il mal di testa passa subito.
   ....
4. Se sei contento tu, sono contento anch'io.
   ....
5. Se arrivate presto, aspettate al bar sotto casa.
   ....

office phone

6. Se non rispondi al telefono, lascio un messaggio sulla tua segreteria telefonica.
Se non risponderai lascerò ....
7. Se fai degli studi seri, hai più possibilità di trovare un lavoro.
Se farai avrai ....
8. Se vanno alla posta adesso, fanno in tempo a spedire il pacco.
Se andranno faranno ....

9 Complete the following sentences with the *futuro semplice* of the verb.

1. (*Voi andare*) andrete .... in compagnia di Luca o di Giovanni?
2. (*Tu potere*) Potrai .... rimanere a casa mia tutto il tempo che (*tu volere*) ....
3. Non (*noi sapere*) sapremo .... niente prima di domani.
4. Quando arriveremo, (*bere*) berremo .... un'intera bottiglia d'acqua minerale!
5. (*Venire*) Verrano .... certamente anche Daniele e la sua ragazza.
6. Allora, stasera (*pagare*) paghero .... io, un'altra volta (*pagare*) pagherai .... tu.
7. Se non fate attenzione, (*rimanere*) rimanarette .... di nuovo senza soldi.
8. Ragazzi, nessun problema. (*Vedere*) Vedrete .... che tutto (*andare*) .... andra bene.

10 Put the sentences in *futuro*.

1. I miei amici vanno in vacanza a Portofino.
I miei amici andranno ....
2. Rimango in città e vado a visitare i posti che non ho ancora visto.
Rimarro in città e andrò ....
3. Voglio vedere come va a finire questa storia.
Voglio vedere come andra a finire ....
4. Non dimentico tutto quello che hai fatto per me.
Non dimenticherò .... tutto quello che hai fatto per me.
5. Finiamo di vedere il film e poi andiamo a letto.
Fineremo andremo ....
6. Sono felice se torni a trovare me e la mia famiglia.
Sarò felice se tornerai ....
7. Se vogliamo visitare anche Parigi, dobbiamo fare un programma serio.
Voremmo dovremo ....
8. Non so quando posso passare a ritirare la macchina dal meccanico.
Non so quando potrò ....

11 Complete the dialogue.

Piero: Ma veramente (*noi passare*) (1)... la serata a vedere la tv?

Mario: Se (*tu fare*) (2)... una proposta più interessante, io (*essere*) (3)... dei vostri.

Piero: Intanto (*cercare*) (4)... sul giornale. ...Ecco, questo sì che può essere un modo per passare una serata diversa: proprio questa sera (*cantare*) (5)... al *Forte* Anna Oxa!

Mario: Anna Oxa: la mia cantante preferita! (*essere*) (6)................................... una bellissima serata. Sicuramente (*cantare*) (7)................................... le sue canzoni più famose: *Donna con te*, *Ti lascerò*, *Storie*!

Antonella: Tu non (*cambiare*) (8)... mai. (*restare*) (9)... sempre un romantico.

Mario: Sì, sono un romantico e adesso (*chiamare*) (10)... Chiara. Sono certo che (*volere*) (11)... venire pure lei.

Piero: Ragazzi, ma siamo senza biglietti; a quest'ora non sarà un problema?

Mario: Nessun problema, niente è impossibile per Mario. Ho un amico che lavora al *Forte* e (*fare*) (12)... l'impossibile. Sono sicuro che anche senza biglietto (*entrare*) (13)...!

12 Transform using *dopo che*, *quando*, *appena*, as shown.

> Tornerà Teresa e daremo una festa.
> *Quando (appena - dopo che) sarà tornata Teresa, daremo una festa.*

1. Arriveremo in albergo e faremo una doccia.

   ....

2. Vedrò il film e andrò a letto.

   ....

3. Finirete di studiare e potrete uscire.

   ....

4. Vedrò lo spettacolo e scriverò la critica.

   ....

5. Leggerò il giornale e saprò chi ha vinto la partita ieri.

   ....

6. Laverete la gonna e vedrete che non è di buona qualità.

   ....

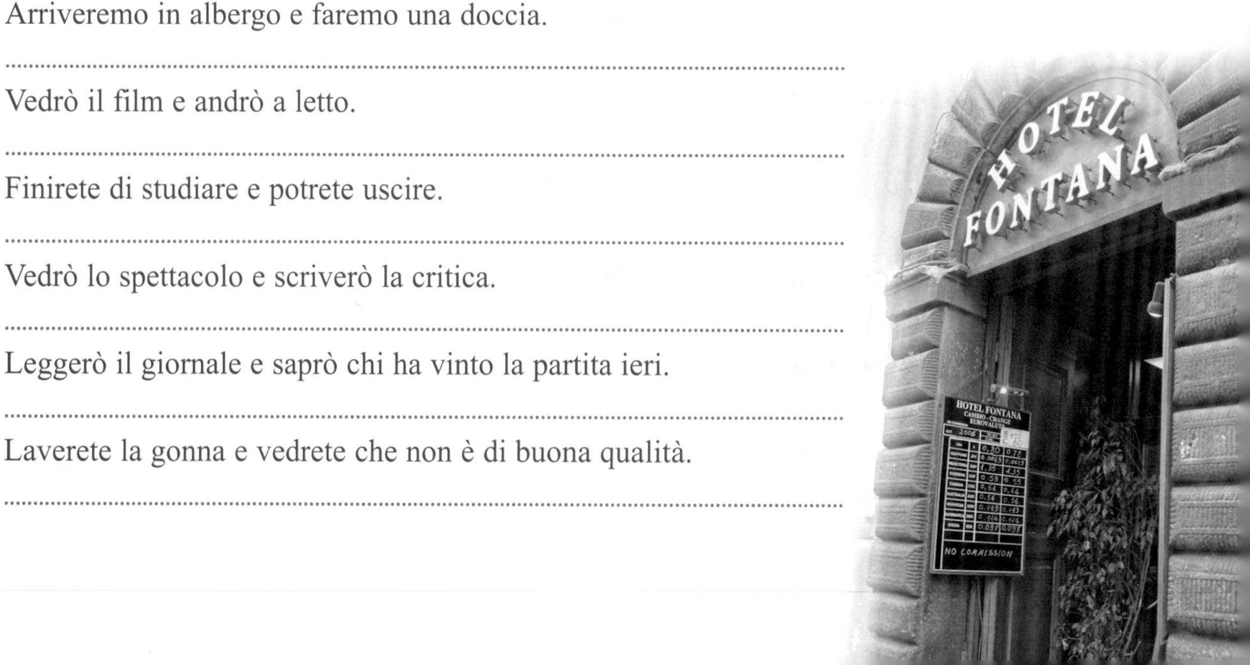

7. Metteremo i soldi da parte e compreremo sicuramente la macchina.

   ....

8. Prenderà la laurea e cercherà un lavoro.

   ....

13 Complete the sentences using the *futuro semplice* or *futuro composto* of the verbs given.

1. ...., quando tutto .... (*io telefonare / finire*)
2. Mi dispiace, non .... seguire il corso, perché dal prossimo mese .... a vivere in un altro paese. (*potere / andare*)
3. Appena i ragazzi .... l'esame di matematica, ... in vacanza. (*dare / noi andare*)
4. Se .... tempo, ... visitare anche i paesi vicini. (*tu avere / potere*)
5. Appena .... a vivere nella nuova casa, ... tutti i nostri compagni di università. (*noi andare / invitare*)
6. Ho paura dell'aereo, per questo .... il treno anche se .... in ritardo. (*prendere / arrivare*)
7. Non è venuto, forse .... da fare. (*avere*)
8. Non appena .... da un importante viaggio di lavoro, ... un altro viaggio, ma di piacere! (*io tornare / fare*)

14 Complete, as shown.

finire - andare	Quando tutto *sarà finito*, *andrò* in vacanza.
1. *prendere - ritornare* (io)	Quando .... la laurea, ... al mio paese.
2. *perdere - potere* (voi)	Quando .... qualche chilo, ... andare al mare.
3. *venire - finire*	Marco ...., appena la partita ....
4. *leggere - capire* (tu)	Solo dopo che .... il libro, ... perché è diventato un best-seller.
5. *parlare - avere* (io)	Quando .... con l'avvocato, non .... più nessun dubbio.
6. *finire - andare* (noi)	Se per quell'ora ...., ... a teatro.
7. *ricevere - venire* (lui)	Se .... i soldi, ... anche lui in Portogallo con noi.
8. *telefonare - dovere*	Se Daniele non .... fino alle nove, ... telefonare noi.

15 Complete the answers using the *futuro composto.*

1. Perché la macchina non va? (*finire*)
   .... la benzina.
2. Giacomo è tornato molto presto a casa. (*lui finire*)
   .... di lavorare prima.
3. Ma è vero che Luca non sposerà Bianca? (*loro capire*)
   Sì, è vero! .... che non sono fatti l'uno per l'altra.
4. Come mai i Tosetti non sono ancora tornati dalle vacanze? (*loro rimanere*)
   .... ancora qualche giorno al loro paese.
5. Mariella non è riuscita a trovare il telefonino! (*lei cercare*)
   Come al solito, ... nel posto sbagliato!
6. Hai visto? Stefano e Rita non hanno toccato quasi niente! (*loro mangiare*)
   Probabilmente .... prima di venire da noi.
7. Non volete sapere perché non siamo andati alla festa di Nando? (*voi avere*)
   .... dei buoni motivi per non andarci.
8. Come mai non riescono mai ad arrivare in tempo? (*loro sbagliare*)
   .... di nuovo strada.

16 Ascolto

Listen to the recording and mark the right sentences.

1. Questo dialogo avviene
   - ❑ a. il 25 dicembre
   - ❑ b. il 10 dicembre
   - ❑ c. il 15 gennaio
2. L'uomo vuole andare
   - ❑ a. a Rio
   - ❑ b. al mare
   - ❑ c. in montagna
3. Un viaggio organizzato per Rio costa
   - ❑ a. 3.000 euro in tutto
   - ❑ b. 1.500 euro in tutto
   - ❑ c. 3.000 euro a testa
4. La donna vuole andare a Rio de Janeiro
   - ❑ a. per fare qualcosa di diverso
   - ❑ b. per vedere parenti lontani
   - ❑ c. perché non sa sciare
5. All'uomo non piace l'idea di passare le feste a Rio perché
   - ❑ a. il viaggio costerà un sacco di soldi
   - ❑ b. ha paura dell'aereo
   - ❑ c. preferisce andare a sciare

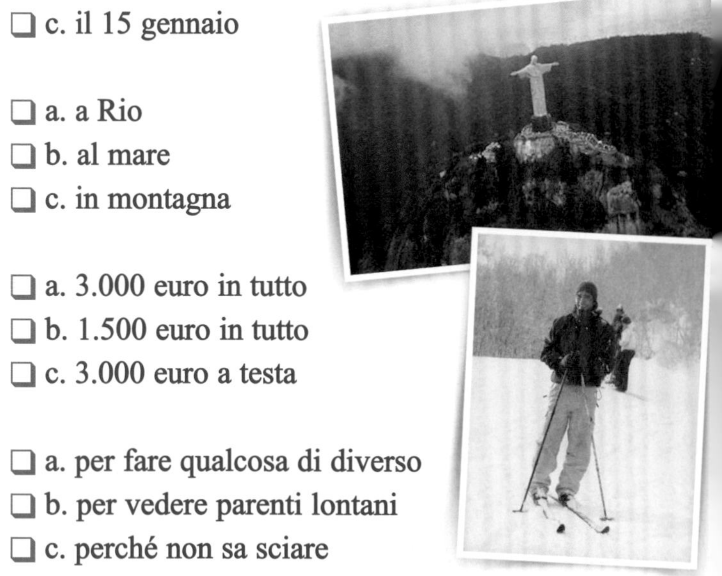

6. Alla fine l'uomo

- ❑ a. propone di andare a Rio in agosto
- ❑ b. accetta di andare a Rio a Natale
- ❑ c. non prende una decisione

TEST FINALE

A Fill in the correct verb in the *futuro semplice* or *futuro composto* of the verb.

essere - andare - arrivare - chiudere - finire - rimanere - prendere - riuscire - visitare - andare - tornare

Tra un mese (1).. Pasqua. Le scuole (2).. per alcuni giorni e se i miei (3).. ad avere qualche giorno in più di ferie (4).. a fare un viaggio all'estero, in Italia. Ho già organizzato tutto. Non appena noi (5).. all'aero-porto di Fiumicino a Roma (6).. il treno per Napoli. (7).. la città, Pompei, Capri e la costiera amalfitana. Dopo (8).. un po' a nord di Roma per visitare Pisa, Siena, Firenze e la campagna toscana. Quando (9).. il nostro giro in Toscana, (10).. a Roma dove (11).. un paio di giorni prima di far ritorno a casa.

B Choose the correct answer.

1. Alla radio hanno detto che domani il tempo non (1).., (2).. su tutta l'Italia.

(1)		(2)	
	a) migliorerò		a) pioverà
	b) migliorerà		b) pioverò
	c) migliorerai		c) pioverai

2. Se il treno (1).. in ritardo a Bologna, (2).. l'Intercity per Milano.

(1)		(2)	
	a) arriverai		a) perderemo
	b) sarà arrivato		b) avremo perso
	c) arriverà		c) abbiamo perso

3. Quando sono a Roma, se (1).. un po' di tempo (2).. a salutare Luisa.

(1)		(2)	
	a) avrò		a) passerete
	b) avrai		b) passerai
	c) avrà		c) passerò

4. (1).. una sorpresa se (2).. questa promessa.

(1) a) Sarò
b) Sarai
c) Sarà

(2) a) manterrerai
b) manterrai
c) manterai

5. A: Paolo, a che ora (1).. ieri sera dalla discoteca?
B: (2).. le due, non di più.

(1) a) torni
b) tornerai
c) sei tornato

(2) a) Saranno stati
b) Saranno state
c) Saranno

6. Non appena (1).. la verità, prometto che (2).. il primo a sapere tutto.

(1) a) ho scoperto
b) sarò scoperto
c) avrò scoperto

(2) a) sarai stato
b) sarai
c) sarete

7. Per questa sera è previsto un brutto (1).. e domani (2).. freddo.

(1) a) sereno
b) nuvoloso
c) temporale

(2) a) avrà fatto
b) farà
c) ha fatto

8. Anna e Marco hanno vinto una (1).. nel Mar Mediterraneo, ma non possono andarci perché la settimana del viaggio (2).. lavorare.

(1) a) crociera
b) nave
c) destinazione

(2) a) vorranno
b) sapranno
c) dovranno

C Read the definitions and solve the crossword puzzle.

ORIZZONTALI:
5. La .... è una donna anziana che porta regali ai bambini.
7. A causa di un forte .... siamo rimasti senza luce per due ore.
8. "L'Intercity per Milano è in partenza dal .... 12!"
9. Il .... è il dolce di Natale di tutti gli italiani.

VERTICALI:

1. Alle 10 c'è un diretto, ma se prendiamo l'.......... che parte alle 11, arriveremo prima.
2. Oggi non fa molto freddo, ma tira ....
3. Per Carnevale ho comprato una bellissima .... veneziana.
4. Per il .... di Capodanno, mia madre ha preparato un sacco di cose da mangiare.
6. Oggi non piove, ma il cielo è ....

Risposte giuste: /36

2nd review quiz (units 3, 4 and 5)

A **Fill in the prepositions.**

1. Quando parlo .... telefono, non riesco mai .... dire quello che voglio!
2. Sono andato .... posta .... spedire una lettera .... miei genitori.
3. Prenderò qualche giorno .... vacanza .... stare vicino .... miei figli!
4. Cerca bene: il tuo vestito bianco è .... armadio, vicino .... quello verde.
5. Se tutto va bene, domani arriverà il mio fidanzato .... Germania.
6. La casa di Mirella si trova proprio davanti .... parco.
7. Vado .... centro .... comprare una gonna .... negozio .... *Armani*.
8. Il tuo bicchiere è .... tavolo .... cucina.

____/18

B **Fill in the prepositions.**

1. Se tutto andrà bene, prenderò la laurea .... fine .... questo mese.
2. Per favore, puoi portare la macchina .... meccanico?
3. Quando andrai .... tuo paese?
4. Gli appunti .... Mario sono .... mia borsa.
5. I ragazzi sono rimasti ancora .... qualche giorno .... nonni.
6. Secondo le previsioni, pioverà .... tutta la settimana .... tutta l'Italia.
7. Se non facciamo .... tempo questa sera, andremo .... teatro domani.
8. Cercate .... portare vestiti pesanti perché .... montagna fa freddo!

____/14

C **Complete the short dialogue with the prepositions.**

- Buongiorno tesoro. Vai .... centro?
- Sì.
- Allora vengo .... te perché voglio comprare .... regali .... Natale.
- Ma non puoi vedere .... qualche negozio qua vicino?
- Ho guardato, ma non c'è niente .... interessante.

____/6

D **Complete the short dialogue with the *possessivi*.**

- Ciao Piero, come stai?
- Bene. E tu? La .... famiglia?
- Tutti bene, grazie. Ah, ieri ho incontrato Monica con il .... nuovo ragazzo, Fabio.
- Davvero? E com'è?

- ❍ Simpatico. Ho invitato anche lui alla .... festa di compleanno. Tu, vieni, vero?
- ● Certo! Posso portare anche Sonia e una .... amica?
- ❍ Non c'è nessun problema. Ricordi la strada per arrivare a casa .... ?
- ● Sì, sì ...Allora ci vediamo sabato alla .... festa.

____/6

E **Fill in the *passato prossimo*.**

1. Come (*passare*) .... il fine settimana? (*andare*) .... al tuo paese o (*rimanere*) .... in città?
2. Se (*voi finire*) ...., potete andare via!
3. L'altro giorno (*noi uscire*) .... ed (*incontrare*) .... Lisa.
4. (*Passare*) .... tanti anni, ma tu non (*cambiare*) ....
5. Cara Valeria, (*fare*) .... veramente bene a venire.
6. Non veniamo con voi perché (*vedere*) .... già questo film.
7. Gerardo (*cambiare*) .... casa, ora vive in centro.
8. La Juventus (*vincere*) .... il campionato.

____/12

F **Complete the sentences using the *futuro semplice* or *futuro composto*.**

1. Soltanto quando (*io finire*) .... di pagare la macchina, (*potere*) .... pensare ad altre spese.
2. Se non (*loro venire*) .... per le sei, significa che non (*potere*) .... uscire prima dall'ufficio.
3. Se Alessandro e la sua ragazza non (*mangiare*) ...., (*tu dovere*) .... preparare qualcosa.
4. Per prima cosa (*noi cercare*) .... di perdere qualche chilo e poi (*fare*) .... un pochino di ginnastica.
5. È vero che Giacomo (*aprire*) .... una farmacia appena (*prendere*) .... la laurea?
6. Sono certo che Luisa (*fare*) .... il possibile per aiutare Anna.
7. Se (*tu ascoltare*) .... il nuovo cd di Bocelli, (*capire*) .... perché ha venduto tanti milioni di dischi in tutto il mondo.
8. Ragazzi, oggi è sabato e (*noi potere*) .... tornare a casa anche dopo le due.

____/14

Risposte giuste: /70

Unità introduttiva
page 7

Nouns ending in *-e*

1. Many nouns ending in **-ione** and **-udine** are feminine (azione - azioni, abitudine - abitudini ecc.)
2. Many nouns ending in **-ore** are masculine (attore - attori, sapore - sapori ecc.)

Nouns ending in *-a*

singular	**il**	problema, tema, programma, clima, telegramma, panorama
	il, **la**	turista, barista, tassista, pessimista, regista
plural	**i**	problemi, temi, programmi, climi, telegrammi, panorami
	i, **le**	turisti/e, baristi/e, tassisti/e, pessimisti/e, registi/e

Feminine nouns ending in *-i*

singular	**la**, **l'**	crisi, analisi, tesi, sintesi, perifrasi, enfasi, ipotesi
plural	**le**	crisi, analisi, tesi, sintesi, perifrasi, enfasi, ipotesi

Indeclinable nouns

il caffè amaro ➪ i caffè amari
il bar, il re ➪ i bar, i re
l'auto, la moto, la foto ➪ le auto, le moto, le foto
la città, l'università, la virtù ➪ le città, le università, le virtù
il cinema moderno ➪ i cinema moderni
lo sport, il film ➪ gli sport, i film
la serie, la specie ➪ le serie, le specie

Masculine nouns ending in *-co* and *-go*

singular	il fuo*co*, l'alber*go*	if the accent falls on the second-to-last syllable
plural	i fuo*chi*, gli alber*ghi*	(exceptions: amico-amici, greco-greci)
singular	il medi*co*, lo psicolo*go*	if the accent falls on the third-to-last syllable
plural	i medi*ci*, gli psicolo*gi*	(exceptions: incarico-incarichi, obbligo-obblighi)

Some nouns in the plural have two forms (-chi/-ci, -ghi/-gi): chirur*go* - chirur*gi*/chirur*ghi*, stoma*co* - stoma*ci*/stoma*chi*.

Notes on nouns ending in *-logo*

singular	il dia*logo*, l'archeo*logo*	plural forms ending in *-loghi* indicates *plural things*
plural	i dia*loghi*, gli archeo*logi*	plural forms ending in *-logi* indicates *people*

The definite article *lo* (masculine singular)

The article *lo* (plural *gli*) is used for masculine nouns starting with: **s** + **consonant** (lo spagnolo), **z** (lo zaino), **y** (lo yogurt), **ps** (lo psicologo), **gn** (lo gnomo), **pn*** (lo pneumatico).

*Modern Italian uses the article *il*: il pneumatico.

Unità 2
page 32

Irregular verbs in the *presente indicativo*

bere	***cominciare****	***dire***	***mangiare****	***morire***
bevo	comincio	dico	mangio	muoio
bevi	cominci	dici	mangi	muori
beve	comincia	dice	mangia	muore
beviamo	cominciamo	diciamo	mangiamo	moriamo
bevete	cominciate	dite	mangiate	morite
bevono	cominciano	dicono	mangiano	muoiono
pagare*	***piacere***	***porre***	***rimanere***	***salire***
pago	piaccio	pongo	rimango	salgo
paghi	piaci	poni	rimani	sali
paga	piace	pone	rimane	sale
paghiamo	pia(c)ciamo	poniamo	rimaniamo	saliamo
pagate	piacete	ponete	rimanete	salite
pagano	piacciono	pongono	rimangono	salgono
scegliere	***sedere***	***spegnere***	***tenere***	***tradurre***
scelgo	siedo (o seggo)	spengo	tengo	traduco
scegli	siedi	spegni	tieni	traduci
sceglie	siede	spegne	tiene	traduce
scegliamo	sediamo	spegniamo	teniamo	traduciamo
scegliete	sedete	spegnete	tenete	traducete
scelgono	siedono (o seggono)	spengono	tengono	traducono
trarre				
traggo				
trai				
trae				
traiamo				
traete				
traggono				

Look:
how *porre*: proporre, esporre...
how *scegliere*: togliere, cogliere, raccogliere...
how *tenere*: mantenere, ritenere...
how *tradurre*: produrre, ridurre...
how *trarre*: distrarre, attrarre...

* The verbs *cominciare*, *mangiare* and *pagare* are regular, even though they are peculiar.

page 37

The ordinal numbers 11th - 25th

11° undicesimo	16° sedicesimo	21° ventunesimo
12° dodicesimo	17° diciassettesimo	22° ventiduesimo
13° tredicesimo	18° diciottesimo	23° ventitreesimo
14° quattordicesimo	19° diciannovesimo	24° ventiquattresimo
15° quindicesimo	20° ventesimo	25° venticinquesimo

Unità 4
page 63

Irregular *participi passati*

Infinito	*Participio Passato*	*Infinito*	*Participio Passato*
accendere	*(ha) acceso*	morire	*(è) morto*
ammettere	*(ha) ammesso*	muovere	*(è/ha) mosso*
appendere	*(ha) appeso*	nascere	*(è) nato*
aprire	*(ha) aperto*	nascondere	*(ha) nascosto*
bere	*(ha) bevuto*	offendere	*(ha) offeso*
chiedere	*(ha) chiesto*	offrire	*(ha) offerto*
chiudere	*(ha) chiuso*	perdere	*(ha) perso/perduto*
concedere	*(ha) concesso*	permettere	*(ha) permesso*
concludere	*(ha) concluso*	piacere	*(è) piaciuto*
conoscere	*(ha) conosciuto*	piangere	*(ha) pianto*
correggere	*(ha) corretto*	prendere	*(ha) preso*
correre	*(è/ha) corso*	promettere	*(ha) promesso*
crescere	*(è/ha) cresciuto*	proporre	*(ha) proposto*
decidere	*(ha) deciso*	ridere	*(ha) riso*
deludere	*(ha) deluso*	rimanere	*(è) rimasto*
difendere	*(ha) difeso*	risolvere	*(ha) risolto*
dipendere	*(è) dipeso*	rispondere	*(ha) risposto*
dire	*(ha) detto*	rompere	*(ha) rotto*
dirigere	*(ha) diretto*	scegliere	*(ha) scelto*
discutere	*(ha) discusso*	scendere	*(è/ha) sceso*
distinguere	*(ha) distinto*	scrivere	*(ha) scritto*
distruggere	*(ha) distrutto*	soffrire	*(ha) sofferto*
dividere	*(ha) diviso*	spendere	*(ha) speso*
escludere	*(ha) escluso*	spegnere	*(ha) spento*
esistere	*(è) esistito*	spingere	*(ha) spinto*
esplodere	*(è/ha) esploso*	succedere	*(è) successo*
esprimere	*(ha) espresso*	tradurre	*(ha) tradotto*
essere/stare	*(è) stato*	trarre	*(ha) tratto*
fare	*(ha) fatto*	uccidere	*(ha) ucciso*
giungere	*(è) giunto*	vedere	*(ha) visto/veduto*
insistere	*(ha) insistito*	venire	*(è) venuto*
leggere	*(ha) letto*	vincere	*(ha) vinto*
mettere	*(ha) messo*	vivere	*(è/ha) vissuto*

Unità 5
page 76

Irregular verbs in the *futuro*

Infinito		*Futuro*	*Infinito*		*Futuro*
essere	➪	sarò	rimanere	➪	rimarrò
avere	➪	avrò	bere	➪	berrò
stare	➪	starò	porre	➪	porrò
dare	➪	darò	venire	➪	verrò
fare	➪	farò	tradurre	➪	tradurrò
andare	➪	andrò	tenere	➪	terrò
cadere	➪	cadrò	trarre	➪	trarrò
dovere	➪	dovrò	spiegare	➪	spiegherò
potere	➪	potrò	pagare	➪	pagherò
sapere	➪	saprò	cercare	➪	cercherò
vedere	➪	vedrò	dimenticare	➪	dimenticherò
vivere	➪	vivrò	mangiare	➪	mangerò
volere	➪	vorrò	cominciare	➪	comincerò

Soluzioni delle attività di autovalutazione

Unità 1
1. 1-a, 2-c, 3-e, 4-b, 5-d
2. 1-b, 2-e, 3-d, 4-c, 5-a
3. 1. basso; 2. Sicilia, Lombardia (*consult the map on page 27*); 3. capisci; 4. avete
4. naso, trenta, testa, bionde, ora/orario, sedici

Unità 2
1. 1-b, 2-e, 3-d, 4-c, 5-a
2. 1-c, 2-e, 3-a, 4-b, 5-d
3. 1. di, a, da, in, per; 2. venerdì; 3. settimo; 4. voglio; 5. facciamo
4. *orizzontale*: sesto, occhio, affitto, duemila, comodo; *verticale*: vengo

Unità 3
1. 1-d, 2-b, 3-c, 4-e, 5-a
2. 1-d, 2-c, 3-e, 4-b, 5-a
3. 1. autobus, metrò, tram; 2. gennaio; 3. sopra; 4. tengo; 5. vogliamo
4. 1. festa, 2. intorno, 3. mezzogiorno, 4. mittente, 5. soggiorno

Unità 4
1. 1-e, 2-a, 3-b, 4-c, 5-d
2. 1-d, 2-e, 3-a, 4-c, 5-b
3. 1. lungo, ristretto, macchiato, freddo, corretto; 2. cappuccino; 3. bevuto; 4. sono rimasto/a; 5. essere
4. *orizzontale*: successo, piazza, giugno, panino; *verticale*: sopra, listino, agenda, tavolino

Unità 5
1. 1-b, 2-d, 3-c, 4-a, 5-e
2. 1-c, 2-a, 3-e, 4-b, 5-d
3. 1. Eurostar, Intercity, Interregionale, Diretto, Regionale ecc.; 2. Natale, Pasqua, Epifania, Carnevale ecc.; 3. ho preso; 4. verrò; 5. sarò partito/a
4. 1. ombrello, 2. aeroporto, 3. libri, 4. panettone, 5. Palio di Siena

UNITÀ INTRODUTTIVA *Benvenuti!*

IL GENERE DEI SOSTANTIVI - GENDER DISTINCTION

Gender means "type" of noun, masculine or feminine. In Italian, all nouns are either masculine or feminine, whether or not they represent a masculine or feminine person, animal or thing.
The gender of a noun can be distinguished by either its endings or its meaning.

Masculine gender:
a. Words ending in **-o** apart from a few exceptions: *il bambino* (exceptions: *la mano*, *la moto*, *l'auto*, *la foto*).
b. Words referring to male beings: *il padre*.
c. Words ending in **-ma** adopted from words of Greek origin: *il problema*.
d. Words ending in **-a**, **-ista** and stating a profession: *il poeta*, *il tassista*.
e. Words (usually of foreign origin) ending in a consonant: *lo sport*, *il bar*.
f. Words ending in **-i**: *il brindisi* (> *i brindisi*).
g. Words ending in **-ale**, **-iere**, **-ore** are usually considered to be of masculine gender: *l'ospedale*, *il portiere*, *l'attore*.

Feminine gender:
a. Words ending in **-a**: *l'amica*.
b. Words referring to female beings: *la madre*.
c. Words ending in **-à** and **-ù**: *la città*, *la virtù*.
d. Words adopted from words of Greek origin, ending in **-i** with invariable plural: *la crisi* (> *le crisi*).
e. Words ending in **-ice**, **-ione**, **-udine** are usually considered to be of feminine gender: *l'attrice*, *l'azione*, *la solitudine*.
f. Words ending in **-ie** with invariable plural: *la serie* (> *le serie*).

PLURALE DEI SOSTANTIVI E DEGLI AGGETTIVI
PLURAL OF NOUNS AND ADJECTIVES

Italian does not form the plural of nouns by adding *-s*. The plural system is a little more complex. Here are the main patterns.
All the words in the plural have the suffix **-i**, except:
a. Feminine words ending in **-a** that change to **-e**: *la mamma - le mamme*.
b. Feminine words ending in **-à** and **-ù** which are invariable in plural: *la città - le città*, *la virtù - le virtù*.
c. Foreign words ending in a consonant: *lo sport - gli sport*.
d. Monosyllabic words: *il re - i re*.
e. Masculine words stressed on the final syllable: *il caffè - i caffè*.
f. Feminine words ending in **-ie** which are invariable in plural: *la serie - le serie* (exception: *la moglie - le mogli*).

Other rules:
a. Masculine nouns ending in **-io**: when the *i* is stressed, the plural is **-ii** (*lo zio - gli zii*); when the **i** is not stressed, the plural is **-i** (*l'orologio - gli orologi*).
b. Feminine nouns in **-cia**, **-gia**: when the *i* is stressed or there is a vowel before the letters **c** and **g**, the plural is **-cie**, **-gie** (*farmacia - farmacie*, *valigia - valigie*); when there is a consonant before the letters **c** and **g**, the plural is **-ce**, **-ge** (*goccia - gocce*, *spiaggia - spiagge*).
c. Masculine nouns ending in **-co**, **-go**: when the accent falls on the second-to-last syllable, the plural is **-chi**, **-ghi** (exceptions: *l'amico - gli amici*); when the accent falls on the second-to-last syllable, the plural is **-ci**, **-gi** (exceptions: *incarico - incarichi*).
d. Feminine nouns in **-ca**, **-ga**: their plural is always **-che**, **-ghe** (*l'amica - le amiche*, *la collega - le colleghe*).

L'ARTICOLO DETERMINATIVO - THE DEFINITE ARTICLE

In Italian there are two genders: masculine (*maschile*) and feminine (*femminile*). The definite article ("the") is usually used to specify a particular noun. In Italian it has several forms, used according to gender, number, and initial letter(s) of the noun that they precede.

Words of masculine gender:
1. Masculine words beginning with a consonant take the article **il** (plural **i**): *il libro - i libri.*
2. Masculine words beginning with a vowel take the article **l'** (plural **gli**): *l'amico - gli amici.*
3. Finally, the article **lo** (plural **gli**) is used before singular words beginning with:

z	*lo zio - gli zii*
s and another consonant: s + (b, c, …)	*lo sbaglio, lo scopo - gli sbagli, gli scopi*
ps	*lo psicologo - gli psicologi*
pn	*lo pneumatico - gli pneumatici*
y	*lo yogurt - gli yogurt*
gn	*lo gnomone - gli gnomoni*

Words of feminine gender:
1. Feminine words beginning with a consonant take the article **la** (plural **le**): *la borsa - le borse.*
2. Feminine words beginning with a vowel take the article **l'** (plural **le**): *l'amica - le amiche.*

UNITÀ 1 *Un nuovo inizio*

I VERBI IN ITALIANO - ITALIAN VERBS

In Italian, verbs are divided in three groups according to their endings: verbs ending in **-are**, verbs in **-ere**, and verbs in **-ire**. Verbs can be conjugated in different moods, which are divided in different tenses. By mood, we intend a manner or way that expresses the attitude of the speaker toward what he or she is saying. The inflexion of the indicative mood expresses a definite fact. It is what we use to make a statement.

PRESENTE INDICATIVO - SIMPLE PRESENT TENSE

The simple present tense in Italian can express:
a. An action taking place at that particular moment: *Mangio una mela = I am eating an apple.*
b. An action that happens regularly or repeatedly: *Studio italiano = I study Italian.*
c. An action in the near future: *Stasera vado al cinema = I am going to the movies tonight.*

The present tense of regular verbs is formed by:
1. "Dropping" the ending **-are**, **-ere**, or **-ire** from the infinitive.
2. Adding to the "stem" or root of the verb (the infinitive of the verb with the **-are**, **-ere**, or **-ire** taken off) the appropriate ending (suffix) to create each form, thus expressing who is doing the action.
   Example: parlare > parl-
   *Io parl**o** italiano = **I** speak Italian.*
   *Tu parl**i** portoghese = **You** speak Portuguese.*
   *Lui parl**a** spagnolo = **He** speaks Spanish.*

a. The endings for verbs in **-are** (1st conjugation) are: **-o**, **-i**, **-a**, **-iamo**, **-ate**, **-ano**.
b. The endings for verbs in **-ere** (2nd conjugation) are: **-o**, **-i**, **-e**, **-iamo**, **-ete**, **-ono**.
c. The endings for verbs in **-ire** (3rd conjugation) are: **-o**, **-i**, **-e**, **-iamo**, **-ite**, **-ono**.
d. Many verbs in **-ire** (3rd conjugation) also add **-isc-** between the stem and the ending in the *io*, *tu*, *lui/lei* and *loro* forms.
   Example: finire > fin-
   *Io fin**isco** i compiti = I finish my homework.*
   *Tu fin**isci** presto? = Are you finishing early?*

Since each form of the verb is different from the others (because of the different endings or suffixes), it is not necessary, unlike English, to use personal pronouns. These latter can be used for emphasis or clarity.
Example: *Parlo italiano = **I** speak Italian* (No "**io**" necessary at the beginning of the sentence).

L'ARTICOLO INDETERMINATIVO - THE INDEFINITE ARTICLE

The indefinite article is used in front of an "unspecified" noun. It translates the English "a" or "an" and has four different forms in Italian.

1. Words of masculine gender that take the definite article **il** and **l'**, take the indefinite **un**: *il libro - un libro, l'amico - un amico.*
2. Words of masculine gender that take the definite article **lo**, take the indefinite **uno**: *lo zio - uno zio.*
3. Words of feminine gender that take the definite article **la**, take the indefinite **una**: *la borsa - una borsa.*
4. Finally, the words of feminine gender that take the indefinite article **l'**, take the indefinite **un'**: *l'amica - un'amica.*

L'AGGETTIVO
THE ADJECTIVE

An adjective describes a noun or pronoun. An adjective in Italian may have three different suffixes. So, we have adjectives ending in **-o** for those of masculine gender, adjectives ending in **-a** for those of feminine gender and finally adjectives ending in **-e** which refer to both masculine and feminine gender.
In the Italian language, we have to pay attention to agreement and position of an adjective.
An adjective always agrees in gender and number with the noun. In syntax, it usually follows the noun:
il cane nero - i cani neri = the black dog - the black dogs.
la penna rossa - le penne rosse = the red pen - the red pens.
il ragazzo francese - i ragazzi francesi = the French boy - the French boys.
la ragazza francese - le ragazze francesi = the French girl - the French girls.

UNITÀ 2 *Come passi il tempo libero?*

VERBI IRREGOLARI AL PRESENTE
IRREGULAR VERBS IN THE SIMPLE PRESENT TENSE

1. The verbs **andare** (*to go*), **dare** (*to give*), **sapere** (*to know*), **stare** (*to be, to stay*) are irregular. They do not follow the regular patterns of the first, second and third conjugation. Please note that the third plural person ("loro") is spelt with a double **n**.
   Examples:
   Loro vanno a Londra = They go to London.
   Loro danno un regalo alla mamma = They give a present to their mom.
   Loro sanno tutto! = They know everything!
   Stanno spesso a casa = They are often at home.

2. The verbs **bere** (*to drink*), **dire** (*to say, to tell*), **fare** (*to do, to make*) are also irregular in the present tense. Some forms derive from the stem of their Latin infinitives (*bevere, dicere, facere*).
   Examples:
   Io bevo la Coca Cola = I drink Coke.
   Lui dice sempre la verità = He always tells the truth.
   Facciamo errori grammaticali = We make grammar mistakes.

3. In some irregular verbs, a **-g-** is added after the stem of the verb and before the suffix in the first person singular and in the third person plural. These are: **rimanere** (*to remain, to stay*), **spegnere** (*to turn off*), **venire** (*to come*), **tenere** (*to have, to keep*), **salire** (*to go up, upstairs, to climb*), etc.
   Examples:
   Io rimango a casa = I stay at home.
   Loro rimangono a scuola = They stay at school.
   Io vengo con te! = I am coming with you!
   Vengono da te Sabrina and Stefano? = Are Sabrina and Stefano coming to your place?
   Salgo al terzo piano = I am going up to the third floor.
   Spengono le luci alle nove = They turn the lights off at nine.

   The verbs *venire* and *tenere* add an **-i-** in the second and third person singular: *Vieni alla partita? = Are you coming to the game?*

4. When the modal verbs **potere** (*can, to be able to*), **volere** (*to want*), **dovere** (*to have to*) are followed by a verb, this latter is always in the infinitive form. Between the modals and the infinitive there is no preposition:

Examples:
Posso venire = I can come.
Voglio vedere = I want to see.
Devo partire = I have to leave.

PREPOSIZIONI - PREPOSITIONS

Prepositions show how words in a sentence relate to each other. They usually indicate position, direction or time. Simple prepositions are invariable. They have no plural, nor do they have a gender.
In Italian there are the following prepositions: **da**, **di**, **a**, **in**, **su**, **con**, **tra/fra**, **per**. It would be a mistake to translate each preposition as a single word, because every time the translation is different, according to the use of each word. Therefore, as in English, the meaning of a preposition is often determined by its context. Unlike English, however, the position of a preposition never varies. It is always placed within a sentence before its object. Also, Italian may use different prepositions to translate the ones we use in English, or sometimes no prepositions are used at all. Always consult a dictionary to verify whether a preposition is required.
Example: *to look for = cercare* (no preposition "for" after the verb).
We are going to give the most common uses of each preposition and some examples to go with them.

DA - states:

- Origin or descent. In this case, it accompanies verbs such as *arrivare*, *venire*:
  Veniamo da Monaco = We come from Monaco.
  Arrivo da Perugia = I am arriving from Perugia.
- Motion from or to a place:
  Lui è partito da Roma = He left Rome.
  Vado dal medico = I am going to the doctor.
- Use, in everything that is used as an object:
  occhiali da sole = sunglasses, camera da letto = bedroom.
- Time (i.e. since sth. has happened):
  Vi aspetto da un'ora = I have been waiting for you for an hour.*
  Studio l'italiano da tre mesi = I have been studying Italian for three months.*
  *Notice the use of the simple present tense in Italian vs. the present perfect continuous in English.

DI - states:

- Ownership (i.e. to whom an object belongs):
  la macchina di Piero = Piero's car.
- Origin:*Anna è di Firenze = Anna is from Florence.*
- Content: *un bicchiere di latte = a glass of milk.*
- Material: *un tavolo di legno = a wooden table (made of wood).*
- Time: *di giorno, di notte, d'estate = during the day, at night, in the summer.*

A - states:

- Indirect object (i.e. to someone or something):
  Regalo il libro a Maria = I am giving (as a gift) the book to Maria
  Telefono a... = I am calling..., Parlo a... = I am talking to..., etc.
- Motion or state in a place (not with countries):
  Vado a Milano = I am going to Milan, Sono a casa = I am at home.
- Time (i.e. we define with accuracy the time when an action is happening or happened):
  A mezzogiorno vengo da te = I am coming to see you at noon.

IN - states:

- In, inside (i.e. the inside part of a place; with this use the preposition also takes an article): *Le chiavi sono nel cassetto = The keys are in the drawer.*
- Motion or state in a place (i.e. it shows us the place that someone is moving or, that is, found): *Vado in Italia = I am going to Italy, Vivo in Australia = I live in Australia.*

- A means of transport when ownership or time is not defined:
  Parto in aereo = I am leaving by plane, Vado in treno = I am going by train.

SU - states:

- Position (on): *Il libro è sul tavolo = The book is on the table.*
- Age approximately, in this case the preposition is articulated:
  Una bambina sui 6 anni = A little girl about six years old.

CON - states:

- Together with someone: *Vado a teatro con Stefano = I am going to the theatre with Stefano.*
- Way of doing (i.e. how we are doing sth.): *Ascolto con attenzione = I am listening carefully.*

FRA (TRA) - states:

- Between: *Brindisi si trova fra Bari e Lecce = Brindisi is (located) between Bari and Lecce.*
- Time (i.e. how long it will take us to do sth.): *Esco fra poco = I am going out shortly.*

PER - states:

- Direction, destination: *Il treno parte per Torino = The train is leaving for Turin.*
- Purpose: *Vado in Italia per motivi di lavoro = I am going to Italy for business.*
- Time duration: *Devo restare a Firenze per tre settimane = I have to stay in Florence for three weeks.*

UNITÀ 3 *Scrivere e telefonare*

PREPOSIZIONI ARTICOLATE
ARTICULATED PREPOSITIONS

"Simple" prepositions **a**, **in**, **di**, **da**, **su** form just one word when combined with the definite articles:
Vado alla stazione ferroviaria = I am going to the train station.
This is not true with **per**, **con**, **tra** (**fra**), which are always written separately from the article:
Compro la torta per la festa = I buy the cake for the party.

Usually, a "simple" preposition becomes articulated when:
- The noun is defined precisely: *Fanno un tour dell'Italia meridionale = They are taking a tour of Southern Italy.*
- A possessive pronoun that takes a definite article follows: *la macchina del mio amico = my friend's car.*
- Time follows: *l'aereo delle nove = the nine o'clock plane.*

L'ARTICOLO INDETERMINATIVO AL PLURALE
THE PLURAL OF INDEFINITE ARTICLES

In English, the indefinite article is used only with singular nouns: *a boy*, *a girl*. In the plural forms, it is expressed with the word "some" or it is omitted altogether: *We saw some great bargains at the mall* or *We saw great bargains at the mall*. In Italian, the plural is formed with the "contraction" of the preposition "di" and the definite articles (depending on the gender of the noun that follows): *delle (di+le) scarpe = some shoes, dei (di+i) libri = some books.*

Here is how the preposition **di** combines with the various definite articles:
- For masculine words which have the definite article **i**, the indefinite article is **dei** (**di** + **i**).
- For masculine words with the definite article **gli**, the indefinite article is **degli** (**di** + **gli**).
- For feminine words with the definite article **le**, the indefinite is **delle** (**di** + **le**).

GLI AGGETTIVI E I PRONOMI POSSESSIVI
POSSESSIVE ADJECTIVES AND PRONOUNS

- Possessive adjectives and pronouns (**mio/a**, **tuo/a**, **suo/a**) express ownership of an object or relationship between people:
  Questa è la mia borsa = This is my purse
  Michele è il tuo nuovo compagno di classe = Michele is your new classmate.

- Possessive adjectives agree in gender and number with the object possessed:
  *il libro di Maria = Maria's book > il suo libr**o** = **her** book,*
  *la macchina di Paolo = Paolo's car > la su**a** macchin**a** = **his** car.*
- Possessive adjectives precede the noun and are usually preceded by the definite article:
  il mio libro = my book, il suo quaderno = his/her notebook.
- Possessive pronouns are always used without the noun because they replace it:
  *La casa di Marco è grande, **la mia** è piccola = Marco's house is big, mine is small.*
- Possessive pronouns, as a rule, are not preceded by the article when they follow the verb *essere*:
  -Questo telefonino è tuo? -No, non è mio, è suo = -Is this cell phone yours? -No, it's not mine, it's his/hers.

UNITÀ 4 *Al bar*

IL PASSATO PROSSIMO
THE PRESENT PERFECT TENSE

The present perfect, called *Passato Prossimo* in Italian, is formed like the English present perfect tense. It usually corresponds to the simple past tense in English when it expresses an action that took place in the past and finished in the past as well:
Ieri Luca è andato al cinema = Luca went to the movie theater yesterday.
Luca è andato a vivere in Italia dieci anni fa = Luca went to live in Italy ten years ago.

Sometimes, however, it is better translated with the present perfect or the past emphatic when there is no clear indication that the action has ended, or when you want to emphasize that you did something. As a rule, always look at the general context of a sentence or paragraph.
Hence, *Ho studiato* can be translated as: *I studied - I have studied - I did study.*

The *Passato Prossimo* is a compound tense formed with the present tense of the auxiliary verbs *avere* or *essere*, and the past participle of the verb.
It is simple to form the past participle of regular verbs: just substitute the suffixes **-are**, **-ere**, **-ire** to **-ato**, **-uto**, **-ito** correspondingly.
The past participle of the verbs that follow *essere* always agrees in gender and number with the subject:
Maria è andata = Maria went, Noi siamo usciti = We went out.

Analytically, *essere* is followed by:
- Verbs that express motion:
  Sono arrivato a Roma ieri = I arrived in Rome yesterday.
- Verbs that state a stop at a place, such as *stare*, *restare*, *essere*, *rimanere*:
  Sono stato in Italia diverse volte = I have been/I was in Italy several times.
- Intransitive verbs (an intransitive verb does not take an object) such as: *piacere*, *dispiacere*, *costare*, *bastare*, *durare*, *parere*, *sembrare*, *diventare*, *servire*:
  È capitato un fatto strano = Something strange happened.
- The verbs *dimagrire*, *ingrassare*, *morire*, *nascere*, *invecchiare*:
  Sono dimagrito molto = I lost a lot of weigh.
- The reflexive verbs (*The Italian Project 1b*, Unit 9):
  Mi sono lavato con l'acqua fredda = I washed myself with cold water.

Analytically, *avere* is followed by:
- Transitive verbs (a transitive verb is a verb that requires both a direct subject and one or more objects):
  Non ho mai visto un film italiano = I never saw an Italian movie.
- Intransitive verbs that show an action of body, spirit or a psychical situation:
  Ho lavorato tutto il giorno = I worked all day, Ho pianto molto = I cried a lot
  Non ho dormito bene ieri notte = I did not sleep well last night.
- Intransitive verbs that express motion and state direction, like: *passeggiare*, *camminare*, *viaggiare*:
  Ho camminato fino a casa = I walked all the way home.
- Verbs that express sport action such as: *nuotare*, *sciare*, *giocare*:
  Abbiamo giocato a calcio ieri = We played soccer yesterday.

- Verbs meaning oral expression such as: *parlare, discutere, urlare, cantare*:
  Ho parlato con lui di un problema = I talked with him about a problem.

There are verbs that are formed with both auxiliaries. Such verbs are:
- *cambiare, cominciare, finire*. When they are expressed as transitive verbs, they get the auxiliary *avere* and when as intransitive they get *essere*:
  Ho cambiato idea = I changed my mind vs. *Sandra è cambiata = Sandra has changed.*
- *salire, scendere, saltare* are conjugated with *avere* when followed by a direct object. In any other case they are conjugated with *essere*. Compare:
  Ha salito le scale = He went up the stairs vs. *É salito per le scale = He went up through (using) the stairs*
  Ha saltato l'ostacolo = He jumped the obstacle vs. *È saltato in aria = It exploded.*
- *piovere, nevicare, tuonare, lampeggiare*. They get the auxiliary *avere* when emphasizing an action and its duration. When the consequences of the action are emphasized, they get the auxiliary *essere*. Compare:
  Ieri ha piovuto per dieci ore = Yesterday it rained for ten hours vs. *È piovuto e le strade sono allagate = It rained and (as a consequence) the streets are flooded.*

Sempre, mai, ancora, più, già, appena and *anche* are usually placed between the auxiliary and the past participle: *Non ho ancora parlato con Mario = I haven't talked to Mario yet.*
The particle of place *ci* substitutes a place which is already mentioned: *-Vieni al cinema con noi? -Sì, ci vengo volentieri = -Are you coming to the movie theatre with us? -Yes, I am gladly coming (there).*

When the modal verbs *potere, dovere, volere* have a function of auxiliary verbs in a sentence, they are conjugated in the *Passato Prossimo* with the same auxiliary of the infinitive that follows: *Ho potuto lavorare = I could work / I was able to work* (*lavorare > avere*), *Sono potuto venire = I could come / I was able to come* (*venire > essere*).

UNITÀ 5 *Feste e viaggi*

IL FUTURO - THE FUTURE TENSE

Generally, the future tense expresses an action taking place in the near or far future: *Domani andrà dal medico = Tomorrow, he/she will go to the doctor, Fra tre anni finirò i miei studi = In three years, I will finish my studies.*
The future tense is formed by dropping the final *-e* of the infinitive form of the verb and adding the endings of the future (**-ò**, **-ai**, **-à**, **-emo**, **-ete**, **-anno**). Note: verbs in **-are** change **-ar-** into **-er-**.
Parlare > parlar > parl**erò** = I will talk.
Leggere > legger > legger**ò** = I will read.
Pulire > pulir > pulir**ò** = I will clean.

We use the future tense for:
- Future plans: *Quando finirò l'università, lavorerò molto = When I finish college, I will work a lot.*
- Predictions: *Domani farà bel tempo! = Tomorrow the weather will be nice!*
- Estimations, suppositions, probability: *Avrà trent'anni = He/She must be thirty years old.*
- Promises: *Verrò da te domani! = I will come to see you tomorrow!*
- In the first type of hypotheticals, to express what is almost sure: *Se finirò* presto il lavoro, usciremo = If I finish working soon, we will go out.*
  *Notice the use of two future tenses in Italian, whereas in English the present tense is used in the dependent clause introduced by "if".
- Suggestions, orders, threats in a much milder way than that of the imperative: *Dovrai studiare prima di uscire! = You will have to study before going out!*

IRREGOLARITÀ DEL FUTURO - VERBAL IRREGULARITIES OF THE FUTURE

- The verbs in **-care** and **-gare** take the letter **-h-** in all persons: *Cercherò di venire = I will try to come.*
- The verbs in **-ciare**, **-giare**, **-sciare** drop the *-i-* of the stem in all persons: *mangiare* > **mangerò** (and not *mangierò*) = I will eat, *lasciare* > **lascerò** (and not *lascierò*) = *I will leave.*
- Some verbs drop the *-e-* of the suffix (*-erò*) like *avere* (*to have*) > **avrò** (and not *averò*), *potere* (*to be able to*) > **potrò**, *sapere* (*to know*) > **saprò**.

- A group of irregular verbs drops the prefinal (next to last) syllable and doubles the **-r-** of the final syllable: *volere* (*to want*) > **vorrò**, *venire* (*to come*) > ***verrò***, *tenere* (*to have, to keep*) > **terrò**, *porre* (*to put*) > **porrò**. The same thing happens with the derivatives of the above verbs: *provenire, mantenere, proporre.*
- Finally, the verbs **stare**, **dare**, **fare** have the suffix **-arò** and not *-erò.*

FUTURO COMPOSTO - FUTURE PERFECT

The future perfect (*futuro composto*) is a compound tense. It is formed with the verbs *avere* and *essere* in the future plus the past participle of the verb.
It expresses:

- An action that will take place in the future before another future one and it is used only in subordinate clauses which are introduced by the adverbs of time: *quando, dopo che, appena, non appena.*
  Dopo che mi avranno pagato, andrò in vacanza = After they pay me, I will go on vacation.
- The action that precedes temporally is not necessarily mentioned first: *Andrò in vacanza appena avrò finito questo lavoro = I will go on vacation as soon as I have finished this job.*
- An uncertainty in the past: *Giulia non ha ancora chiamato. Sarà passata prima dalla nonna = Giulia has not called yet. She must have stopped at grandmother's house first.*
- A disagreement about something that happened in the past: *Sarà anche stato bravo al concerto, ma a me non è piaciuto per niente = He might have also been good at the concert, but I did not like him at all.*

CONTENTS

page

Unità introduttiva - *Benvenuti!* 152

Unità 1 - *Un nuovo inizio* 154

Unità 2 - *Come passi il tempo libero?* 155

Unità 3 - *Scrivere e telefonare* 157

Unità 4 - *Al bar* 159

Unità 5 - *Feste e viaggi* 161

The words, in separate units, are listed as they appear, with clear reference to the part (*Student's book* or *Workbook*) and the section (A, B, C, D...). When a word is not stressed on the penultimate syllable, or when the stress is not clear, the stressed vowel is underlined (i.e.: *dialogo, farmacia*). Words preceded by * belong to audiotexts, not printed texts.

Abbreviations

avv.	avverbio	adverb
f.	femminile	feminine
m.	maschile	masculine
sg.	singolare	singular
pl.	plurale	plural
inf.	infinito	infinitive
p.p.	passato prossimo	present perfect
imp.	imperativo	imperative
Am.	inglese americano	American English
lett.	letteralmente	literary

UNITÀ INTRODUTTIVA *Benvenuti!*

STUDENT'S BOOK

unità, *l'* (*f.*): unit
introduttiva: introductory
benvenuti (*sg.* benvenuto): welcome

A

parole, *le* (*sg.* la parola): words
e: and
lettere, *le* (*sg.* la lettera): letters

A2

musica, *la*: music
spaghetti, *gli*: spaghetti
espresso, *l'*: espresso
cappuccino, *il*: cappuccino
opera, *l'*: opera
arte, *l'* (*f.*): art
moda, *la*: fashion
cinema, *il* (*pl.* i cinema): cinema

A3

alfabeto, *l'*: alphabet
italiano: Italian
lunga: long (*f. sg.*)
doppia: double (*f. sg.*)
greca (*pl.* greche): Greek

A5

casa, *la*: home, house
ascoltare: to listen
cosa, *la*: thing
cucina, *la*: kitchen
scuola, *la*: school
gatto, *il*: cat
regalo, *il*: present
dialogo, *il* (*pl.* i dialoghi): dialogue
singolare: singular
gusto, *il*: taste
lingua, *la*: language, tongue
ciao: hi!
cena, *la*: dinner
luce, *la*: light
pagina, *la*: page
giusto: right, correct
gelato, *il*: icecream
Argentina, *l'*: Argentina
chiavi, *le* (*sg.* la chiave): keys
macchina, *la*: car
maschera, *la*: mask
pacchetto, *il*: packet
Inghilterra, *l'*: England
colleghi, *i* (*sg.* il collega): colleagues
margherita, *la*: daisy
Ungheria, *l'*: Hungary

A6

***buongiorno**: good morning
***facile**: easy
***americani** (*sg.* americano): Americans
***chi**: who
***Genova**: Genoa
***amici**, *gli* (*sg.* l'amico): friends
***centro**, *il*: centre/center (*Am.*)
***corso**: course
***pagare**: to pay

B

italiana o italiano?: Italian (*f.*) or Italian (*m.*)?
o: or

B2

giornale, *il*: newspaper

B3

sostantivi, *i* (*sg.* il sostantivo): nouns
maschile: masculine
singolare: singular
plurale: plural
libro, *il*: book
studente, *lo*: student
femminile: feminine
borsa, *la*: hand bag
classe, *la*: class

B4
finestra, *la*: window
libreria, *la*: bookcase
pesce, *il*: fish
notte, *la*: night
albero, *l'*: tree
treno, *il*: train

B5
ragazzo, *il*: boy
alto: tall (*m. sg.*)
rossa: red (*f. sg.*)
aperta: open (*f. sg.*)
nuova: new (*f. sg.*)
ragazza, *la*: girl

C
ciao, io sono Gianna: hi! My name is Gianna
io: I
sono (*inf.* essere): I am

C2
questi sono: these are
questi (*sg.* questo): these (*m. pl.*)
siete (*inf.* essere): you are (*pl.*)
lui: he
australiano: Australian
piacere: nice to meet you
sei (*inf.* essere): you are (*sg.*)
spagnola: Spanish (*f. sg.*)
sì: yes
e tu?: and you?
tu: you

C3
verbo, *il*: verb
essere: to be
lei: she
noi: we
loro: they

C4
brasiliana: Brasilian (*f. sg.*)
marocchino: Morroccan (*m. sg.*)
argentini (*sg.* argentino): Argentinian (*m. pl.*)

C5
ungherese (*m./f.*): Hungarian
inglese (*m./f.*): English

C7
sorella, *la*: sister
uscita, *l'*: exit
schema, *lo*: scheme

C8
***museo**, *il*: museum
***scendere**: to get down
***isola**, *l'*: island
***vestito**, *il*: dress
***uscire**: to go out

D2
articolo determinativo: definite article
articolo, *l'*: article
determinativo: definite
zio, *lo* (*pl.* gli zii): uncle
la macchina di Paolo: Paolo's car
ecco (*avv.*): here (it) is
studenti d'italiano: students of Italian
molti: many (*m. pl.*)
calcio, *il*: football/soccer (*Am.*)
preferisco (*inf.* preferire): I prefer
scusi: excuse me (*formal*)
è questo l'autobus per il centro?: is this the bus going to the town centre?
autobus, *l'* (*pl.* gli autobus): bus
per il centro: to the centre

D3
stivali, *gli* (*sg.* lo stivale): boots
zaino, *lo*: racksack
zia, *la*: aunt
panino, *il*: sandwich
aerei, *gli*: aeroplanes
numeri, *i*: numbers

D4
bella: beautiful (*f. sg.*)
piccoli: small (*m. pl.*)
ristorante, *il*: restaurant
moderni: modern (*m. pl.*)
giovane (*m./f.*): young

D6
bagno, *il*: bath/bathroom
famiglia, *la*: family
globale (*m./f.*): global
zero, *lo*: zero
azione, *l'*: action
canzone, *la*: song
mezzo: half, means
azzurro: blue
pezzo, *il*: piece
pizza, *la*: pizza

D7
***cognome**, *il*: surname
***meglio** (*avv.*): better
***Svizzera**, *la*: Switzerland
***esercizio**: exercise
***maggio**: May
***vacanze**, *le*: holidays
***luglio**: July

E
chi è?: who is…?

E2
si chiama (*inf.* chiamarsi): her name is
che bella ragazza!: what a beautiful girl!
che: what, that
tesoro: honey, darling
hai (*inf.* avere): you have (*sg.*)
le chiavi di casa: house keys
no: no
ho (*inf.* avere): I have
le chiavi della macchina: the car keys
dove: where
sai (*inf.* sapere): you know (*sg.*)
ha (*inf.* avere): she has
fratelli, *i*: brothers
davvero (*avv.*): really
quanti anni hanno?: how old are they?
quanti: how many
anni, *gli*: years
hanno (*inf.* avere): they have
mi chiamo (*inf.* chiamarsi): my name is

E3
avere: to have

E6
come si scrive: how do you spell?
come: how
suo: his/her (*m. sg.*)
nome, *il*: name

E7
consonanti, *le* (*sg.* la consonante): consonants
caffè, *il* (*pl.* i caffè): coffee
difficile: difficult (*sg.*)
oggetto, *l'*: object
giallo: yellow
mamma, *la*: mum
nonna, *la*: grandmother
gonna, *la*: skirt
terra, *la*: earth, soil
corretto: correct
settimana, *la*: week

E8
***note**, *le*: notes
***penna**, *la*: pen
***mano**, *la* (*pl.* le mani): hand
***stella**, *la*: star
***bicchiere**, *il*: glass
***latte**, *il*: milk
***doccia**, *la*: shower
***torre**, *la*: tower
***bottiglia**, *la*: bottle
***pioggia**, *la*: rain
test finale: final test
test, *il* (*sg.* i test): test
finale: final

Grammar Appendix
abitudine, *l'* (*f.*): habit
ecc. (eccetera): etc.
attore, *l'* (*m.*): actor
sapore, *il*: taste
problema, *il*: problem
tema, *il*: theme, subject, topic
programma, *il*: program, programme
clima, *il*: climate, weather
telegramma, *il*: telegram
panorama, *il*: landscape
turista, *il/la*: tourist
barista, *il/la*: bartender, barman/barwoman (*Am.*)
tassista, *il/la*: taxi driver
pessimista, *il/la*: pessimist, negative
regista, *il/la*: film director
crisi, *la*: crisis
analisi, *l'* (*f.*): analysis
tesi, *la*: thesis
sintesi, *la*: synthesis, summary
perifrasi, *la*: periphrasis
enfasi, *l'* (*f.*): enphasis, stress
ipotesi, *l'* (*f.*): hypothesis, assumption
amaro: bitter
re, *il*: king
film, *il*: film, movie
città, *la*: city
università, *l'* (*f.*): university
virtù, *la*: virtue
auto, *l'* (*f.*): car
moto, *la*: motorbike
serie, *la*: series
specie, *la*: species
fuoco, *il*: fire
albergo, *l'* (*m.*): hotel
greco, *il*: Greek
medico, *il*: doctor
psicologo, *lo*: psychologist
incarico, *l'* (*m.*): task, assignment, job
obbligo, *l'* (*m.*): duty
chirurgo, *il*: surgeon
stomaco, *lo*: stomach
archeologo, *l'* (*m.*): archeologist
yogurt, *lo*: yogurt
gnomo, *lo*: gnome
pneumatico, *lo-il*: tyre, pneumatic

WORKBOOK
quaderno: notepad

1
fermata, *la*: stop (*e.i.* bus stop, train station)

2
strada, *la*: street, way
amore, *l'* (*m.*): love
francese (*m./f.*): French

4
Firenze: Florence
Napoli: Naples
Milano: Milan
Germania, *la*: Germany

professore, *il*: professor, high school teacher
porta, *la*: door

5

Francia, *la*: France
Belgio, *il*: Belgium
Spagna, *la*: Spain

6

Stati Uniti, *gli*: United States

7

giornata, *la*: daytime

8

campione, *il*: champion, specimen

10

idea, *l'* (*f.*): idea
cane, *il*: dog

11

mal di testa, *il*: headache
mal (male), *il*: ache
testa, *la*: head
hanno fame: they are hungry
fame, *la*: hunger

13

studentessa, *la*: student (*f.*)
Bari: Bari (*Italian city*)
di dove è?: where is he/she from?
Pisa: Pisa (*Italian city*)

Test finale

russo: Russian
austriaci (*sg.* austriaco): Austrians

UNITÀ 1 *Un nuovo inizio*

STUDENT'S BOOK

inizio: beginning

Per cominciare...

cominciare: to start

Per cominciare 1

un: a (*m.*)
lavoro: job, work
una: a (*f.*)
amore: love

Per cominciare 2

notizia: news
direttore: director, manager
orario: timetable
gentile: kind
agenzia: agency
fortunata: lucky

A

e dove lavori adesso?: and where do you work now?

A1

telefona a Maria: she telephones Maria
telefona (*inf.* telefonare): he/she telephones
ogni giorno: every day
giorno: day
non ha: she has not
non: not
ancora (*avv.*): still
in una farmacia: in a pharmacy
farmacia: pharmacy
tornare: to go back
a casa: home
prende (*inf.* prendere): she takes
metrò, *il*: underground, subway (*Am.*)
pronto?: hello
ehi, ciao!: hey, hi!
come stai?: how are you?
stai (*inf.* stare): you are (*sg.*)
bene, e tu?: well, and you?
bene (*avv.*): well
ma da quanto tempo!: it's a long time!
da: since, for
tempo: time
hai ragione: you are right
ragione: right
senti (*inf.* sentire): listen (*imp.*)
cioè (*avv.*): that is (to say)
non lavoro più: I don't work anymore
più (*avv.*): anymore
in un'agenzia di viaggi: in a travel agency
viaggi, *i* (*sg.* il viaggio): travels, trips
che bello!: how nice!, great!
contenta: pleased
molto (*avv.*): very
simpatici (*sg.* simpatico): nice
carino: lovely, nice
l'orario d'ufficio: working hours
ufficio, *l'*: office
apre alle 9: it opens at 9.00
apre (*inf.* aprire): it opens
chiude (*inf.* chiudere): it closes
a che ora arrivi?: what time do you arrive?
che: what
ora: time, hour
arrivi (*inf.* arrivare): you arrive
finisco di lavorare: I finish work
finisco (*inf.* finire): I finish
dopo venti minuti: in (after) twenty minutes
dopo (*avv.*): after
minuti: minutes
brava: well done! Bravo!
sono contenta per te: I am pleased (happy) for you
te: you (object)

A3

qual è: which is
è contenta del nuovo lavoro: she is pleased with her new job

A4

com'è?: how is it?
tutto bene: everything's fine
tutto: everything
poi (*avv.*): then, after, afterwards
vicino (*avv.*): near, close
mah: hum
20 minuti dopo: 20 minutes later

A6

presente indicativo: indicative present
presente, *il*: present tense
indicativo: indicative
1ª coniugazione: first conjugation
1ª (prima): first
coniugazione: conjugation
2ª (seconda): second
3ª (terza): third
dormire: to sleep
offrire: to offer
partire: to leave, to depart
spedire - *spedisco*: to send
unire - *unisco*: to join
pulire - *pulisco*: to clean
chiarire - *chiarisco*: to clarify

A7

con chi parli?: who are you talking to?
che tipo di musica ascolti?: what kind of music do you listen to?
tipo: kind, type, sort
quando: when
oggi (*avv.*): today
che cosa: what
guardano (*inf.* guardare): they look at, watch
televisione, *la*: television
cosa prendete da mangiare?: what would you like to eat?
mangiare: to eat
insegnante (*m./f.*): teacher, tutor
quando partite per Perugia?: when are you leaving for Perugia?
Perugia: Perugia (*Italian city*)
domani (*avv.*): tomorrow

B1

caro: dear
me: me
aspetto a cena: I am waiting for dinner
aspetto (*inf.* aspettare): I wait
amica: girlfriend, female friend
da tempo: for sometime
occhi, *gli* (*sg.* l'occhio): eyes
verdi (*sg.* verde): green
capelli: hair
biondi: blonde
purtroppo (*avv.*): unfortunately
porta (*inf.* portare): he/she brings, comes with
anche: also, as well
fidanzato: fiancé
Medicina: Medicine
una cosa non capisco: (there is) something I do not understand
studia (*inf.* studiare): he studies
uomo, *l'* (*pl.* gli uomini): man
come me: like me
già (*avv.*): already
Jennifer preferisce Saverio a Luca: Jennifer prefers Saverio to Luca

B2

articolo indeterminativo: indefinite article
indeterminativo: indefinite
palazzo: building, palace
studentessa: student (*f.*)
edicola: newsagent, kiosk
diario: diary
giornata: daytime
di mio fratello: my brother's
mio: my
castani: brown (hair, eyes)
intelligente: intelligent, clever
Lettere: Literature
donna: woman
come tante: ordinary, common (*lett.* like everyelse)
tante: many (*f. pl.*)
speciale: special
forse (*avv.*): maybe, perhaps
solo (*avv.*): only

B3

stipendio: salary
basso: low
pesante: heavy
attore: actor
famoso: famous
viso: face
idea: idea
interessante: interesting
corso d'italiano: Italian course

B4

storia: story
tema, *il* (*pl.* i temi): theme, topic
partita, *la*: match

B5

grande: big

C

di dove sei?: where are you from?

C1

scusa: excuse me (*informal*)
per andare in centro?: how do I go/get to the city centre?
andare: to go
fermate, *le*: bus stops
grazie: thank you
prego: my pleasure, you are welcome
sei straniera, vero?: you are a foreigner, aren't you?
sei qui per lavoro?: are you here on business?

qui (*avv.*): here
sono qui da due giorni: I have been here for two days
allora: then
ben arrivata: welcome
complimenti: congratulations
abiti qui vicino?: do you live nearby?
abiti (*inf.* abitare): you live
in via Verdi: on Verdi street
via: street
anch'io: so do I
a presto: see you soon
presto (*avv.*): soon

C3

ultima fermata: last stop
dare: to give
da quanto tempo sei qui?: how long have you been here?
francese: French
per motivi di lavoro: for business reasons, on business
motivi, *i*: reasons
al numero 3: at number three

D2

***buonanotte**: good night
***signor** (signore, *il*): mister
***anche a Lei**: and to you (*formal*)
***Lei**: you (*formal*)
***signora**, *la*: lady
***vai** (*inf.* andare): you go
***vado** (*inf.* andare): I go
***al supermercato**: to the supermarket
***supermercato**: supermarket
***come va?**: how is it going?
***va** (*inf.* andare): it goes
***così e così**: so and so
***così** (*avv.*): so
***buonasera**: good evening
salutare: to greet, to salute
buon pomeriggio: good afternoon
buon (buono): good
pomeriggio, *il*: afternoon
informale: informal
salve!: hello!
ci vediamo: see you later
arrivederci: bye-bye (*informal*)
arrivederLa: good bye (*formal*)
formale: formal

D3

palestra: gym

D4

università, *l'* (*pl.* le università): university
mattina: morning
esci dalla biblioteca: get out of the library
esci (*inf.* uscire): you get out, leave
biblioteca, *la* (*pl.* le biblioteche): library
al bar: at the bar
bar: bar, café
verso le 18: around 6 p.m.
verso: around
serata: evening
in discoteca: in the disco
discoteca: disco

E1

sa (*inf.* sapere): you know (*formal*)
ha una pronuncia tutta italiana: you have (*formal*) a very Italian accent
se permette: if you let me, if I may
permette (*inf.* permettere): you allow (*formal*) me
svizzera: Swiss
in vacanza: on holiday
visito (*inf.* visitare): I visit
ecco perché: that's why
così bene: so well

E3

signorina, *la*: Miss

F1

lungo: long
naso: nose

F2

mettete in ordine: put in order (*imp.*)
ascoltatelo: listen to it (*imp.*)
alla francese: French ... (*i.e.* nose)
quello di Gloria: the one that belongs to Gloria
abbastanza (*avv.*): quite, enough
magra: slim
simpatica (*pl.* simpatiche): nice

F3

mancano (*inf.* mancare): missing (*lett.* they miss)
aspetto: appearance
vecchio: old
brutto: ugly
corti: short
neri: black
carattere, *il*: character, attitude
sembra (*inf.* sembrare): he/she seems, looks like
antipatico (*pl.* antipatici): not nice
allegro: cheerful
triste: sad
scortese: unkind

F4

testa: head
fronte, *la*: forehead
bocca: mouth
braccio, *il* (*pl.* le braccia): arm
dito, *il* (*pl.* le dita): finger

Conosciamo l'Italia
L'Italia: regioni e città

regioni, *le* (*sg.* la regione): regions
città: city

Autovalutazione

autovalutazione: self-evaluation
contrario: opposite
fontana: fountain
Roma: Rome

WORKBOOK

1

vivere: to live
lettera: letter

2

classica: classic
fumano (*inf.* fumare): they smoke
spesso (*avv.*): often

4

prima (*avv.*): before
poco (*avv.*): little

6

al telefono: on the telephone
telefono: telephone
tardi (*avv.*): late
tedesco: German
lezione: lesson, session, class
napoletana: Neapolitan

7

Intercity: Intercity
cerca (*inf.* cercare): look for (*imp.*)
nessuna: none

8

blu: blue

9

orologio: watch, clock

10

giardino: garden

11

canadese: Canadian
imparare: to learn

12

Australia: Australia
Parigi: Paris

13

irlandesi, *gli* (*sg.* l'irlandese): Irish
giocatori, *i* (*sg.* il giocatore): players
africani: Africans
di solito: usually

14

ridere: to laugh
quasi (*avv.*): almost, quite
mai (*avv.*): never
piacere: to like
tutti: everybody, everything
modella: model (*f.*)

Test finale

A

villa: villa
di tutto: everything

B

bambini: children
niente: nothing
tè, *il*: tea
cambiare: to change
lontano: far

UNITÀ 2 *Come passi il tempo libero?*

STUDENT'S BOOK

passare: to spend, to pass
tempo libero: spare (free) time
libero: free

Per cominciare 1

al cinema: at the cinema
a teatro: at the theatre
teatro: theatre
giocare: to play (a game, a sport match)
videogiochi: video-games

A1

spesso (*avv.*): often
la sera: the evening
sera: evening
sportivo: sporty
fine settimana, *il*: weekend
a Roma: in Rome
sempre (*avv.*): always
all'estero: abroad
estero: abroad
al lago: to the lake
lago: lake
sappiamo tutto sulla tua carriera: we know everything about your career
sappiamo (*inf.* sapere): we know
su: on, about
carriera: career
poco della tua vita privata: little about your private life
poco (*avv.*): little
vita: life
privata: private
fai (*inf.* fare): you do, make
a dire la verità: to tell you the truth
verità, *la* (*pl.* le verità): truth
ma quando posso: but when I can
posso (*inf.* potere): I can
gioco a calcio: I play football/soccer (*Am.*)
come molti sanno: as most people know
sanno (*inf.* sapere): they know
gioco ancora nella nazionale cantanti: I am still on the national singing team
nazionale, *la*: national
cantanti, *i* (*sg.* il cantante): singers

inoltre (*avv.*): also
qualche volta: sometimes
qualche: some
gli amici più intimi: the most intimate friends
intimi: intimate
bere: to drink
qualcosa: something
invece (*avv.*): on the contrary, instead
non ho voglia di uscire: I don't feel like going out
avere voglia (di): to feel like, to fancy
voglia: wish, desire, will
sono gli amici che vengono da me: my friends come to my place
vengono (*inf.* venire): they come
da me: to my place
un po': a little
tv, *la*: TV
natura: nature
vado al lago di Como: I go to lake Como
Como: Como (*Italian city*)
dove ho una casa: where I have a house
viene (*inf.* venire): he/she comes
facciamo delle gite: we go on a trip
facciamo (*inf.* fare): we do, make, have
gite: trips
pescare: to fish
sono in tournée: I am on tour
tournée, *la*: tour
la settimana prossima: next week
prossima: next
in Francia: in France
Francia: France
Spagna: Spain
per due concerti: for two concerts
concerti: concerts
Parigi: Paris
Barcellona: Barcelona

A3

di solito: usually
restare: to stay
va sul lago: he goes to the lake

A4

venire: to come

A5

a quest'ora: at this time
stasera (*avv.*): tonight
ballare: to dance
stanchi (*sg.* stanco): tired
a scuola: a school
dall'aeroporto: from the airport
aeroporto: airport

A7

fare colazione: to have breakfast
colazione: breakfast
questa volta: this time
i tuoi genitori: your parents
tuoi: your (*m. pl.*)
genitori, *i* (*sg.* il genitore): parents
lezione: lesson

B

vieni con noi?: are you coming with us?

B1

devo (*inf.* dovere): I must, I have to
ma dai!: come on!
oggi è venerdì: today is Friday
venerdì, *il*: Friday
non è che non voglio...: it is not that I don't want...
voglio (*inf.* volere): I want
al mare: at the sea
mare, *il*: sea
volentieri (*avv.*): willingly, with pleasure
bel tempo: good weather
tempo: time, weather
in città: in town
pensiamo di andare: we are thinking of going
pensare: to think
vuoi venire?: would you like to come? (*lett.* do you want...?)
vuoi (*inf.* volere): you want (*sg.*)
certo: of course, certainly
è da tempo che...: it is a long time that...
che ne dici di andare: what about going
ne: of/about it, of/about them
Scala, *la*: Scala (Opera House)
biglietti: tickets
mi dispiace: I'm sorry
dispiacere: to be sorry
mia madre: my mother
madre, *la*: mother

B2

ottima: very good, excellent
ci andiamo?: should we go there?
ci: there
Venezia: Venice
invitare: to invite
accettare: to accept
invito: invitation
rifiutare: to refuse, to decline
con piacere!: I'd love to!
d'accordo!: agreed! OK!
perché no?: why not?

B3

mostra d'arte: art exhibition
mostra: exhibition
insieme (*avv.*): together
fare spese: to go shopping
spese: shopping

C1

entrare: to get in, to enter
puoi (*inf.* potere): you can, are able to, may (*sg.*)
sbagliare: to make a mistake
colore: colour
vincere: to win
tutto quello che...: everything (that)...

C2

verbi modali: modal verbs
potere: to can, may, to be able to
infinito: infinitive
momento: moment
professore: teacher, professor
per favore: please
favore: favour
prego: my pleasure, you are welcome
volere: to want
a pranzo: at lunch, for lunch
pranzo: lunch
fare tardi: to be late
tardi (*avv.*): late
dovere: must, to have to
a letto: to bed
letto: bed
per l'ospedale: for the hospital
ospedale, *l'* (*m.*): hospital
girare: to turn
sinistra: left
Stati Uniti, *gli*: United States

C3

sabato mattina: Saturday morning
sabato: Saturday
in montagna: in the mountains
montagna: mountain
superare: to pass, to overtake
esame, *l'* (*m.*): exam

D

dove abiti?: where do you live?

D1

organizzare: to organise/organize (*Am.*)
festa: party
a casa mia: in my place, in my house
solo che...: but, it's only that...
in periferia: in a suburban district
periferia: suburb
vicino allo stadio: near the stadium
stadio: stadium
in autobus: by bus
appartamento: apartment/flat (*Am.*)
al quinto piano: on the fifth floor
quinto: fifth
piano: floor
ascensore: lift/elevator (*Am.*)
sperare: to hope
comodo: comfortable
luminoso: bright
balcone, *il*: balcony
camera da letto: bedroom
camera: room
e pensare che...: if I think that...
400 euro d'affitto: a rent of 400 Euros
euro, *l'* (*pl.* gli euro): Euro
affitto: rent
al mese: per month
mese, *il*: month
ne vale la pena: it's worthwhile
valere: to be worthwhile
pena: worthwhile

D2

soggiorno: living room
salotto: sitting room
studio: studio
ripostiglio: storage room

E1

preposizioni: prepositions
banca: bank
Londra: London
a una festa: to a party
a piedi: on foot, walking
Germania: Germany
Pisa: Pisa
Siena: Siena
Napoli: Naples
da solo: on my own
Torino: Turin
Ancona: Ancona
ottobre, *l'* (*m.*): October

E2

da dove viene Lucio?: where does Lucio come from?

F1

che giorno è?: what's the date today?
lunedì, *il*: Monday
martedì, *il*: Tuesday
mercoledì, *il*: Wednesday
giovedì, *il*: Thursday
venerdì, *il*: Friday
sabato, *il*: Saturday
domenica, *la*: Sunday
spesa: shopping
appuntamento: meeting, appointment
***uno di questi giorni**: one of these days
***impossibile**: impossible
***ho molto da fare**: I am very busy, I have lots to do
***il martedì**: on Tuesdays
***ho lezione**: I have class
***compleanno**: birthday
***o domenica o mai**: either on Sunday or never
***mai** (*avv.*): never

***serie**: serious

G1

che ora è?: what time is it?
che ore sono?: what time is it?
e un quarto: a quarter past...
meno: minus
mezzogiorno: midday, noon
mezzanotte: midnight
meno un quarto: a quarter to...

Conosciamo l'Italia
I mezzi di trasporto urbano

mezzi di trasporto urbano: city public transport
mezzi: means
trasporto: transport
urbano: city-, town-, urban

1

usati: common (*lett.* used)
tram: tram/streetcar (*Am.*)
mentre: while
Milano: Milan
comprare: to buy
tabaccheria: tobacco shop
più di un mezzo: more than one means (of transport)
stazioni: stations
metropolitana: underground, subway (*Am.*)
macchinette: machines
automatiche: automatic
acquisto: purchase
in genere: generally
passeggeri, *i* (*sg.* il passeggero): passengers
convalidare: to validate (a ticket)
timbrare: to print
corsa: trip
convalida: ticket validation
si trovano (*inf.* trovarsi): they are placed, located
poche: few
su internet: on internet
prima di salire: before boarding
prima (*avv.*): before
salire: to get into
appena (*avv.*): as soon as

2

linea: line (bus line)

3

auto, *l'* (*pl.* le auto): car
mezzi pubblici: public transport
pubblici: public
quindi (*avv.*): therefore
traffico: traffic
problema: problem
grave: serious
a causa delle tante macchine: because of so many cars
causa: cause
atmosfera: atmosphere, air
pulita: clean
trovare: to find
parcheggio: parking, parking area
per fortuna: luckily
fortuna: luck
sempre più persone: always more people
persone, *le*: people, individuals
motorino: scooter
bicicletta: bicycle
infine (*avv.*): also, and finally
taxi, *il*: taxi
tassì, *il*: taxi
ovviamente (*avv.*): obviously, clearly
costoso: expensive
in campagna: in the countryside
campagna: countryside
servizi: services

4

paese, *il*: country
gente, *la*: people
costare: to cost

5

lettera: letter
raccontare: to tell

Autovalutazione

abitazione: dwelling residence (house, flat, etc.)
ponte, *il*: bridge
Firenze: Florence

Grammar Appendix

morire: to die
piacere: to like
porre: to put
rimanere: to stay
scegliere: to choose
sedere: to sit
spegnere: to switch off
tenere: to keep
tradurre: to translate
trarre: to pull (out)
proporre: to propose
esporre: to expose, to display, to show
togliere: to take off, to remove
cogliere: to pick, to grasp
raccogliere: to collect, to gather, to pick up
mantenere: to maintain
ritenere: to believe, to think
produrre: to produce
ridurre: to reduce
distrarre: to distract
attrarre: to attract

WORKBOOK

1

insieme a: with (*lett.* together with)

2

caldo: hot

3

cerco di imparare: I try to learn

4

di più: more

8

a stasera: see you tonight

12

profumo: perfume, smell

13

nessun problema: no problem

14

tutta un'altra musica: another story
dopodomani (*avv.*): the day after tomorrow
il giorno dopo: the day after

Test finale

A

incontrare: to meet

C

necessario: necessary

1st review quiz
(introduction unit, units 1 and 2)

E

iniziare: to begin, to start
storia dell'arte: Art history
subito (*avv.*): immediately
finalmente (*avv.*): eventually
cenare: to have dinner

F

vino: wine
birra: beer

UNITÀ 3 *Scrivere e telefonare*
STUDENT'S BOOK

posta elettronica: e-mail
posta: post mail
elettronica: electronic
busta: envelope
posta: postal office
francobollo: stamp
buca delle lettere: letter-box
cellulare, *il*: mobile phone/cell phone (*Am.*)

Per cominciare 3

riuscire (a): to succeed, to manage
al telefono: on the phone
telefono: telephone
consigliare: to advise
sa già come fare: he already knows how to do
mandare: to send
pacco: parcel

A1

uffa: (*interjection meaning*) what a nuisance
chiamare: to call, to telephone
qua vicino: nearby
qua (*avv.*): here
proprio (*avv.*): just, right
appunto (*avv.*): exactly
perfetto: perfect
necessario: necessary
imbucare: to post
cassetta per le lettere: mail-box
almeno (*avv.*): at least
credere: to believe

A4

preposizioni articolate: prepositions combined with the articles

A5

Olanda: the Netherlands
guanti: gloves
cassetto: drawer
di chi sono questi libri?: whose are these books?
tavolo: table

A6

chiesa: church
in particolare: in particular
Italia del Sud: Southern Italy
Sud, *il*: South
comunale: municipal
commerciale: commercial

A7

partitivo: partitive
un po' di: a little of
zucchero: sugar

B1

sicuro: sure
dalle tre alle cinque: from 3.00 to 5.00
fino alle 20: until 8.00 p.m.
fino: until, up to
esce di casa: he/she goes out, gets out
pranzare: to have lunch
cenare: to have dinner
orario di apertura: opening time
apertura: opening

B3

negozio di abbigliamento: clothes shop
abbigliamento: clothes, wear
ufficio postale: post office
postale: post-, postal

C1

abiti: clothes, dresses
dentro (*avv.*): inside
armadio: wardrobe
televisore: television
camino: fireplace

sedie: chairs
intorno al tavolo: around the table
intorno (*avv.*): around
dietro (*avv.*): behind
scrivania: desk
tavolino: table
davanti alla lampada: in front of the lamp
davanti (*avv.*): in front
lampada: lamp
sulla parete: on the wall
parete, *la*: wall
divano: sofa
tra le poltrone: between the armchairs
poltrone: armchairs
tappeto: rug
sotto (*avv.*): under
quadro: picture, painting
sopra (*avv.*): over
pianta: plant

C2

a destra del: on the right handside of
specchio: mirror
cuscini: cushions

C3

è vero che: it is true that
sciopero: industrial action, strike
generale: general
dal meccanico: to mechanics the garage
meccanico: mechanic
in ritardo: late
ritardo: delay
lo so: I know
tremendo: dreadful, awful
troppe: too many

C4

vaso: vase

D1

qualcosa di interessante: something interesting
in tv: on TV
probabilmente (*avv.*): probably
su quale canale?: On which channel?
canale, *il*: channel
Juve, *la*: Juventus
Milan, *il*: Milan
beh: well
magari (*avv.*): perhaps
più tardi: later
partita di calcio: football/soccer (*Am.*) match

E1

di chi è?: whose is it?

E2

possessivi: possessive (adjectives and pronouns)
perciò: so, therefore
però: but, nevertheless

F1

fra 10 minuti: in 10 minutes
grazie mille: many thanks
una delle due valigie: one of the two suitcases
nessun problema: no problem
nessuno: none, nobody
figurati (*inf.* figurarsi): don't mention it (*informal*)
appunti: notes
grazie tante: thank you very much
di niente: my pleasure
niente: nothing

F2

ringraziare: to thank
ringraziamento: thanks
non c'è di che: don't mention it
ti ringrazio: I thank you

G

vocabolario: vocabulary
abilità: skill, ability

G1

autunno: autumn
inverno: winter
primavera: spring
estate, *l' (f.)*: summer
gennaio: January
febbraio: February
marzo: March
aprile, *l' (m.)*: April
maggio: May
giugno: June
luglio: July
agosto: August
settembre, *il*: September
ottobre, *l' (m.)*: October
novembre, *il*: November
dicembre, *il*: December

G3

prezzo: price
modello: model, type
Lancia, *la*: *Lancia*
scoperta: discovery
America: America
abitanti, *gli* (*sg.* l'abitante): inhabitants
scooter, *lo*: scooter
Aprilia, *l' (f.)*: *Aprilia*
nascita: birth
costo: cost
villa sul lago: villa on the lake
villa: villa
sognare: to dream

Conosciamo l'Italia
Scrivere un'e-mail o una lettera (informale/amichevole)...

amichevole: friendly
carissimo: very expensive
baciare: to kiss
abbracciare: to embrace, to hug
baci: kisses
bacioni, *i* (*sg.* il bacione): big kisses
mittente, *il*: sender
destinatario: recipient
ricevere: to receive
sigla: abbreviation
provincia: province
meno (*avv.*): less
Bologna: Bologna (*Italian city*)
codice di avviamento postale, *il*: postcode, ZIP code
codice, *il*: code
abbreviazione: abbreviation
dottore: doctor
ingegnere: engineer
professoressa: professor, teacher
utili (*sg.* utile): useful
conseguenza: consequence
dunque: therefore
opposizione: opposition
comunque: however, whatever
al contrario: on the contrary
aggiunta: addition
non solo: not only
d'altra parte: on the other hand
concludere: to conclude
argomento: subject
riassumere: to summarise, to recap
in altri termini: in other words
termini, *i* (*sg.* il termine): terms

...e telefonare.

chiamata: call
interurbana: long-distance call
bisogna (*inf.* bisognare): you need, it is necessary
digitare: to dial
prefisso: area code
desiderata: wanted (*lett.* wished)
e così via: and so on
via: away
generalmente: (*avv.*): generally
per non disturbare: to avoid disturbing
disturbare: to disturb
evitare: to avoid
dopo le 10: after 10.00
di sera: in the evening
percentuale, *la*: percentage
mondo: world
quasi (*avv.*): almost, nearly
tutti: all, every
telefonino: mobile phone
da vicino: closely
tecnologie: technologies
relative alle telecomunicazioni: related to telecommunications
relative: related to
telecomunicazioni: telecommunications
numeri utili: useful numbers
cittadini: citizens
turisti, *i* (*sg.* il turista): tourists
carabinieri, *i* (*sg.* il carabiniere): carabinieri
pronto: flying (*lett.* quick)
intervento: squad (*lett.* intervention)
gratuita: free (of charge)
emergenza: emergency
sanitaria: sanitary, health
informati: informed
viabilità: road conditions, traffic report
in tempo reale: in real time
reale: real
coordinato: co-ordinated
Ministeri: Ministries, Departments
Lavori Pubblici: Public Works
Interno: Interiors, Home Office
polizia: police
soccorso: first aid, rescue
in caso di: in case of, in the event of
caso: case, event
pericolo: danger
calamità: calamity
da utilizzarsi: to be used
utilizzare: to use
non sia possibile: whenever it is not possible
diversi: different, various
enti, *gli* (*sg.* l'ente): Authorities
interessati: concerned, interested
vigili del fuoco: fire brigade
vigili, *i* (*sg.* il vigile): fire men
fuoco: fire
infanzia: childhood
gestito da: run by, managed by
raggiungibile: reachable, accesible
telefonia: telephone line
fissa: landline
telefonici: phone-
incendio: fire
somiglianze: similarities
cabina telefonica: telephone booth
cabina: booth
scheda telefonica: telephone card
scheda: card
giornalaio: newsagent

Autovalutazione

avvocato: lawyer, solicitor
di fronte (a): opposite
gruppo: group
piazza: square, place
campo: field

WORKBOOK

1

centrale: central

2

giapponese: Japanese (*sg.*)

3

aspirina: aspirin

4

fa male: it is aching, it is in pain, it hurts
tatuaggio: tattoo

6

Russia: Russia
figlia: daughter

7

dare una mano: to give a hand, to help
vicini: neighbours

13

Nord, *il*: (the) North
temperatura: temperature

14

birreria: beer shop, pub

15

golfo: gulf

16

acqua: water
calda: hot
salone: hall
novità: novelty
sole, *il*: sun

17

oretta: about an hour
entrata: entrance, entry time
al cento per cento: 100 per cent

18

garage, *il*: garage

19

prestare: to lend
certamente (*avv.*): certainly, of course
soldi: money
carta di credito: credit card
credito: credit

20

foglie: leaves
rivivere: to revive

21

distanza: distance
derby: derby
moglie, *la*: wife

22

***quiz**: quiz
***monumenti**: monuments
***pendente**: pending
***galleria**: gallery
***maschio**: male, masculine
***castello**: castle
***campanile**, *il*: bell tower
***duomo**: cathedral

Test finale

A

parcheggiare: to park

B

circa: about, around
tenere compagnia: to keep company
compagnia: company

UNITÀ 4 *Al bar*

STUDENT'S BOOK

tranquillo: quiet, calm
tutti e due: both

A1

come hai passato il fine settimana?: how did you spend last weekend?
non c'è male: not too bad
male (*avv.*): bad
niente di speciale: nothing special
le solite cose: the usual stuff
solite: usual
bere (*p.p.* ha bevuto): to drink
antico: ancient, old
Caffè: Coffee bar
ieri (*avv.*): yesterday
collega, *il/la*: colleague
film, *il*: film, movie
be': well
essere (*p.p.* è stato): to be
divertente: enjoyable, funny
rimanere (*p.p.* è rimasto): to stay
cosa hai fatto di bello?: did you do anything nice?
fare (*p.p.* ho fatto): to do, to make
un sacco: a lot
invece, sì: on the contrary, yes
nel pomeriggio: in the afternoon
ha avuto l'idea di andare: she thought of going
in gran fretta: in a hurry
fretta: hurry
sala: cinema theatre
intenso: intense
insomma (*avv.*): in conclusion, then

A4

insieme a: with, together with

A5

passato prossimo: present perfect tense
passato: past
participio passato: past participle

A6

ausiliare, *l'* (*m.*): auxiliary
al dente: al dente, not overcooked
dente, *il*: tooth
cartoline: postcards
un anno fa: a year ago
fa: ago
come mai: why ever
dare una festa: to give, to throw a party

A7

l'altro ieri: the day before yesterday
l'estate scorsa: last summer
scorsa: last
in punto: o'clock

B1

mensa: canteen
incontrare: to meet
dentista: dentist

B2

ritornare: to return, to go back
rientrare: to go back in
giungere (*p.p.* è giunto): to arrive
succedere (*p.p.* è successo): to happen
morire (*p.p.* è morto): to die
nascere (*p.p.* è nato): to be born
piacere (*p.p.* è piaciuto): to like
servire: to serve, to be useful
diventare: to become
durare: to last
alzarsi: to get up
svegliarsi: to wake up
lavarsi: to wash (oneself)
ridere (*p.p.* ha riso): to laugh
piangere (*p.p.* ha pianto): to cry
camminare: to walk
cambiare: to change
ultimamente (*avv.*): lately
scendere (*p.p.* è/ha sceso): to get down
correre (*p.p.* è/ha corso): to run

B3

quel giorno: that day
subito (*avv.*): at once
aula: classroom
intorno alle due: around 2.00 (p.m.)
come sempre: as usual
circa: around
lì (*avv.*): there
venire (*p.p.* è venuto): to come

B4

anzitutto (*avv.*): first of all
per prima cosa: first thing

B6

correggere: to correct
spendere: to spend
accendere: to light, to turn on
decidere: to decide
soffrire: to suffer
vivere: to live
perdere: to lose
proporre: to propose, to suggest
spegnere: to turn off, to extinguish
promettere: to promise
discutere: to discuss, to argue

B7

in tempo: on time, in time
bugia: lie
tutto il giorno: all day long
campionato: championship

C1

direttrice, *la*: director
laureata in Economia e Commercio: Business & Economics graduate
laureata: graduate
economia: Economics
commercio: Commerce
per quanto tempo?: for how long?
andare via: to go away, to leave
nel settembre scorso: last September
in tutto: in total
da allora: since then
allora (*avv.*): then

C2

tempo fa: some time ago
data: date
precisa: exact
nel febbraio del 1982: in February 1982
elementare: primary, elementary

C3

entrare in circolazione: to be put into circulation
circolazione: circulation
ospitare: to host
Giochi Olimpici: the Olympic Games
giochi: games
olimpici: Olympic
invernali (*sg.* invernale): winter
repubblica: republic
inventare: to invent
radio, *la*: radio
trionfare: to triumph
Festival di Sanremo: the Sanremo Festival
festival: festival
Sanremo: Sanremo
sezione: section
proposte: newcomers

C5

sei mai stato in Spagna?: have you ever been to Spain?

D1

avere fame: to be hungry
fame, *la*: hunger

listino: price list
menù: menu
ecco a voi: here we are
vorrei (*inf.* volere): I would like
dopo pranzo: after lunch
tramezzino: sandwich
anzi: in fact, on the contrary
cornetto: croissant
cameriere, *il*: waiter
caffè macchiato: caffe macchiato (with a drop of milk in it)
acqua minerale: mineral water
acqua: water
minerale: mineral
prosciutto crudo: "crudo" ham
prosciutto: ham
crudo: raw, uncooked, "crudo" (speciality Italian cured ham)
mozzarella: mozzarella
lattina: can
un tipo deciso: a determined type
deciso: determined

D3

caffè corretto: caffe corretto (with a drop of spirit in it)
decaffeinato: decaffeinated
caffelatte, *il*: caffelatte (coffee and milk)
tè, *il*: tea
camomilla: camomile tea
cioccolata in tazza: hot chocolate
cioccolata: chocolate
tazza: cup
panna: (wipped) cream
freddo: cold
dolci, *i* (*sg.* il dolce): desserts
coppa: cup
torta al caffè: coffee cake
torta: cake
tiramisù: tiramisu cake
zabaione, *lo*: zabaione
stracciatella: vanilla cream (with some chocolate)
cioccolato: chocolate
pannacotta: pannacotta (cooked cream)
bibite: soft drinks
in lattina: in can
spremuta d'arancia: freshly squeezed orange juice
spremuta: squeeze
arancia, *l'* (*pl.* le arance): orange
birra: beer
alla spina: draft
media: medium
aperitivi: aperitifs
bianco: white
pomodoro: tomato

D4

ordinare: to order
avere sete: to be thirsty
sete, *la*: thirst

D5

stamattina (*avv.*): this morning
in fretta: in a hurry
rumore: noise
relazione: relation
di seconda mano: second hand
affrontare: to face
da sole: on their own
buona scusa: good excuse
scusa: excuse

E2

esistere (*p.p.* è esistito): to exist
più o meno: more or less
parlatene: talk about it (*imp. pl.*)
fuori (*avv.*): outdoor
posto: place

Conosciamo l'Italia
Gli italiani e il bar

sosta: break
programma, *il* (*pl.* i programmi): programmes
giornaliero: daily
ora di pranzo: lunch time
seguito da: followed by
buon caffè: a nice cup of coffee
barista: barman
banco: bar
cassa: till
ritirare: to take
scontrino: receipt
accoglienti (*sg.* accogliente): welcoming
ospitali (*sg.* ospitale): hospitable
bar di provincia: bars in the small towns
più che altro: mainly, more than others
ritrovo: meeting place
di ogni età: of every age
giocare a carte: to play cards
carte: cards
è ancora più piacevole: it is even more pleasant
piacevole: pleasant
sedersi: to sit
ai tavolini: at the tables
in piazza: in the street (*lett.* square)
semplicemente (*avv.*): simply
sul marciapiede: on the pavement
marciapiede, *il*: pavement
godere del sole: to enjoy the sun
godere: to enjoy
sole, *il*: sun
chiacchierare: to chat
tazzina: coffee cup
ad esempio: for instance, for example
leggendario: legendary
punto di ritrovo: meeting point
scherzare: to joke, to make fun
passeggiare: to stroll, to have a walk
tipici esempi: typical examples
tipici: typical
locale, *il*: public place
soprattutto (*avv.*): above all
in piedi: standing
insegna: (commercial) sign
tantissime: a great many

Il caffè

riferirsi - *mi riferisco*: to refer to
dal gusto: with a taste of, tasting of
aroma, *l'* (*m.*): aroma, fragrance
forti (*sg.* forte): strong (*pl.*)
milanese: from Milan
macchina per il caffè: coffee machine
da bar: bar (machine)
permette di preparare: it allows you to prepare
preparare: to prepare
velocità: speed
preparazione: preparation
consumazione: consume
vita di tutti i giorni: everyday life
simbolo: symbol
pochissimo: very little
piena: full
sapore, *il*: taste
leggero: light
ristretto: strong
ghiaccio: ice
liquore: spirit, liqueur
caldo: hot
bevanda: drink
frati, *i* (*sg.* il frate): friars
cappuccini: Capuchin
in pratica: in practice
pratica: practice
trattarsi (di): to be about
schiuma di latte: milk foam
schiuma: foam
consiglio: advice, suggestion
invece di: instead of
infatti: as a matter of fact
impensabile: unthinkable, inconceivable
cappuccio: hood
pasto: meal
benissimo (*avv.*): very well
a tutte le ore: at any time
preferito: favourite, preferred
modo: fashion, way

Caffè, che passione!

passione: passion
al giorno: per day, every day
al pomeriggio: in the afternoon
rito: rite, ceremony
irrinunciabile: unmissable, not to be missed
sacchi: bags, sacks
importato: imported
pari a: equal to
tonnellate: tons
restanti (*sg.* restante): remaining
consumo: consumption
posto di lavoro: working place
consumate: consumed
caffettiere: coffee machines
ad uso domestico: for domestic use, home-
domestico: domestic, home-
la più usata: the most used, widespread
Moka, *la*: Moka
in pochi minuti: in few minutes

Autovalutazione

localizzare: to locate
spazio: space
all'inizio: in the beginning
può darsi: it can be
con lo sconto: with the discount
sconto: discount

Grammar Appendix

ammettere: to admit
appendere: to hang
concedere: to concede
crescere: to grow
deludere: to disappoint
difendere: to defend
dirigere: to lead, to drive
distinguere: to distinguish, to recognise
distruggere: to destroy
dividere: to divide, to split, to share
escludere: to exclude
esplodere: to explode
insistere: to insist
muovere: to move
nascondere: to hide
offendere: to offend, to hurt
risolvere: to resolve
rompere: to break
spingere: to push
uccidere: to kill

WORKBOOK

1

volgere: to turn

6

suonare: to play, to ring
chitarra: guitar
velocemente (*avv.*): fast, quickly

7

litigare: to argue

8
arrivo: arrival
9
azienda: company, firm
cura: cure
10
matematica: Mathematics
spettacolo: show, spectacle
11
eventuali (*sg.* eventuale): eventual
decisione: decision
vuole fare di testa sua: he/she does as he/she pleases
*__beata te!__: Lucky you!
*__beata__: lucky
*__cotto__: of a person madly in love (*lett.* cooked)
*__non ti preoccupare__ (*inf.* preoccuparsi): don't worry
*__cucchiaini__: teaspoons
13
tonno: tuna
maionese, *la*: mayonnese
uova, *le* (*sg.* l'uovo): eggs
16
come al solito: as usual
mobili, *i* (*sg.* il mobile): furniture
17
dimenticare: to forget
cintura: belt
19
scrittore: writer
statua: statue
libertà: freedom
discussioni: discussions
padre: father

Test finale
A
esattamente (*avv.*): exactly
per caso: by chance
passeggiata: walk

UNITÀ 5 *Feste e viaggi*
STUDENT'S BOOK
Per cominciare 2
Madrid: Madrid
Lisbona: Lisbon
Zurigo: Zurich
Per cominciare 3
Natale, *il*: Christmas
lontano da: far from
lontano (*avv.*): far
a Capodanno: on New Year's Eve
Capodanno: New Year's Eve
A1
ancora no: not yet
quest'anno: this year
prenotare: to book
sorpresa: surprise
Portogallo: Portugal
treno ad alta velocità: high speed train
però!: wow!
giro d'Europa: tour of Europe
Europa: Europe
giro: tour, round
un bel po': quite a lot
anche se: even if
offerta: offer
sito: site
da qualche parte: somewhere
suoi: her (*m. pl.*)
l'ultimo dell'anno: New Year's Eve
festeggiare: to celebrate
in qualche bel posto: somewhere nice
buone feste: happy holidays
buon viaggio: have a nice trip
buon Natale: Merry Christmas
buon anno: happy new year
A3
a Natale: at Christmas
iniziali (*sg.* iniziale): original
augurare: to wish
A4
amore mio: my love
come no: sure!
bellissima: beautiful
A6
futuro semplice: simple future
futuro: future
finalmente (*avv.*): eventually
cucinare: to cook
smettere (di): to stop, to quit
per le vacanze: for (your) holidays
da grande: when I grow up (*lett.* when I am older)
architetto: architect
A8
progetti: plans, projects
giorno e notte: night and day
previsioni: forecast
laurea: graduation
piovere: to rain
bravissimo: very good
promesse: promises
va bene: alright
di più: more
periodo ipotetico: hypothetical sentence
periodo: sentence
ipotetico: hypothetical
andare avanti: to go on, forward
avanti (*avv.*): forward
da domani: from tomorrow
un giorno: one day
Ferrari, *la*: *Ferrari*
B1
biglietteria: ticket office, box office
controllo: control, check
binario: platform, rail
B2
seconda classe: second class
classe, *la*: class
Intercity: Intercity
Eurostar: Eurostar
andata e ritorno: return (ticket), round-trip
andata: outward journey
ritorno: return journey
solo andata: one way
quant'è?: How much is it?
compreso: included
supplemento: supplement
centesimi: cents
in arrivo: arriving
arrivo: arrival
al binario 8: on platform 8
anziché: rather than
C1
Alpi, *le*: Alps
la mattina del 23: in the morning of the 23rd
turno: work shift
dopo che: after that
ripartire: to leave
C2
di lei: her
C3
futuro composto: compound future
composto: compound
C4
isole Canarie: the Canary Islands
lotto: lotto, lottery
verrà o no?: will he come or not?
D1
*__fa freddo__: it's cold
*__tira vento__: it's windy
*__tirare__: to blow (of wind)
*__vento__: wind
*__nemmeno__ (*avv.*): not even
*__nuvola__: cloud
*__ti ricordi__ (*inf.* ricordarsi): do you remember, recall
*__all'improvviso__: suddenly
*__pessimista__: pessimist, negative
*__meteo__: weather-
nuvoloso: cloudy
previsioni del tempo: weather forecast
rinunciare: to give up
D2
Nord, *il*: North
*__nuvolosità__: cloudiness
*__su tutta la penisola__: all over the peninsula
*__penisola__: peninsula
*__nebbia__: fog, mist
*__possibilità__: possibility, eventuality, chance
*__temporali__, *i* (*sg.* il temporale): thunderstorms
*__graduale__: gradual
*__miglioramento__: improvement
*__moderati__: moderate
*__mosso__: rough (of sea)
*__Tirreno__: Tyrreanian (Sea)
*__Adriatico__: Adriatic (Sea)
*__temperature__: temperatures
*__in diminuzione__: decreasing
*__diminuzione__: decrease
sereno: clear, sunny
variabile: variable
neve, *la*: snow
calmo: calm, quiet
deboli (*sg.* debole): weak
stabili (*sg.* stabile): stable
in aumento: increasing
aumento: increase
D3
nevicare: to snow
D4
cielo: sky
coperto: overcast
agitato: heavy, choppy
E1
periodo: period
dappertutto (*avv.*): everywhere
strade: roads, streets
illuminate: illuminated
affollati: crowded
c'è chi cerca...: there is someone who looks for…
parenti, *i* (*sg.* il parente): relatives
fare la spesa: to shop
ripieno: stuffed
spumante, *lo*: spumante, sparkling wine
naturalmente (*avv.*): naturally
tradizionale: traditional
cosiddetta: so-called
piene di: full of
Epifania: Epiphany
Pasqua: Easter
scherzo: joke
è permesso: (it) is allowed, permitted
Ferragosto: 15th August, Feast of the Assumption
tacchino: turkey
panettone, *il*: panettone
Carnevale, *il*: Carnival
cenone, *il*: Christmas Eve dinner
località: place, resort

scompartimento: compartment
crociera: cruise
valige: suitcases
bagagli, *i* (*sg.* il bagaglio): luggage
destinazione: destination
nave, *la*: ship
prenotazione: booking
tariffa: tarif, charge

Conosciamo l'Italia
Gli italiani e le feste

bambini: children
Babbo Natale: Father Christmas, Santa Claus (*Am.*)
babbo: father
doni: presents, gifts
insieme agli adulti: with the adults (grown-ups)
adulti: adults
addobbare: to decorate
albero di Natale: Christmas tree
presepe, *il*: crèche
farcito: stuffed
pollo arrosto: roast chicken
pollo: chicken
arrosto: roast, roasted
specialità: specialities
regionali (*sg.* regionale): regional, local
pandoro: pandoro
tavole: dining tables
appendere (*p.p.* ha appeso): to hang
calze: stockings
Befana: Befana
vecchietta: old nice witch
carbone, *il*: coal
cattivi: bad
mascherarsi: to wear a mask
costumi, *i* (*sg.* il costume): fancy dresses
noto: well known, popular
cattolica: catholic
cadere: to fall, to be
di domenica: on Sundays
uovo, *l'* (*pl.* le uova): egg
di cioccolata: chocolate
nascondere: to hide
i tuoi: your family/kin
proverbio: proverb, saying
nazionale: national, domestic
anniversario: anniversary
seconda guerra mondiale: Second World War
guerra: war
mondiale: world-
durante: during
estive: summer-
celebrare: to celebrate
ascesa: ascent, rising
Vergine Maria: Virgin Mary
vergine: virgin
popolari (*sg.* popolare): local
palio: palio
Asti: Asti
regata: regatta
storica: historical
giostra: carousel
saracino: Saracen
Arezzo: Arezzo (*Italian city*)
contenere: to contain
Unità: Unity

I treni in Italia

distanze: distances
sia brevi che lunghe: both short and long distance
rete ferroviaria: rail network
rete, *la*: network
ferroviaria: rail-
coprire (*p.p.* ha coperto): to cover
territorio: territory
qualità: quality
offerti: offered
piuttosto (*avv.*): rather
esigenza: need
locale: local
collegare: to connect, to join
all'interno: within
interno: inside
fermarsi: to stop
diretto: local (train)
interregionale: interregional
vicine: close
veloci (*sg.* veloce): fast
livello: level
comodità: comfort
principali (*sg.* principale): main
standard: standard
comfort: comfort
250 km orari: 250 Km. per hour
orari: timetables
ristorazione: catering
includere (*p.p.* ha incluso): to include
rapidi: fast
lussuosi: luxurious
creati: created
designer: designer
ad oltre 300 km: over 300 km
oltre: over
km (chilometri): kilometres
all'ora: per hour
agevolazioni: concessions
anziani: elderly people
modalità: procedure
attiva: active
sia in 1^a che in 2^a classe: both in 1st and 2nd class
a bordo: on board
bordo: board
necessità: need
vantaggi, *i* (*sg.* il vantaggio): advantages
acquistare: to purchase
comodamente (*avv.*): comfortably
per telefono: by telephone
partenza: departure
eliminare: to cut
attesa: waiting
ritiro: collection
presso (*avv.*): by
sportello: ticket counter
carta di credito: credit card
funzionare: to work
conferma: confirmation
carrozza: wagon
assegnati: assigned
una volta saliti: once on the train
sufficiente: enough, sufficient
fornire - *fornisco*: to supply
personale, *il*: personnel
provvedere: to provide
stampare: to print
oltre al semplice biglietto: as well as the simple ticket
oltre: as well as
differire - *differisco*: to be different

Autovalutazione

computer: computer
sposare: to marry
puntuale: on time
direttamente (*avv.*): directly
ombrello: umbrella
pullman, *il*: coach

Grammar Appendix

dimenticare: to forget

WORKBOOK

2

sicuramente (*avv.*): surely
attenti: careful

3

significare: to mean

5

un bel niente: nothing (anything) at all

6

ventina: about twenty
chissà: who knows?
sì e no mezz'ora: more or less half an hour

7

souvenir: souvenir
piatti: plates, dishes

8

messaggio: message
segreteria telefonica: answering machine

9

in compagnia di: in the company of

11

intanto (*avv.*): in the meantime, meanwhile
cantare: to sing
romantico: romantic
pure: also

12

critica: criticism
mettere da parte: to put aside

13

avere paura: to be scared, to fear
paura: fear
viaggio di piacere: pleasure trip

15

benzina: petrol
sono fatti l'uno per l'altra: they are a perfect match
toccare: to touch

16

***sciare**: to sky
***depliant**: brochure, leaflet
***specializzata**: specialised
***volo**: flight
***ragionevole**: reasonable
***esperienza**: experience
a testa: each

Test finale

A

ferie, *le*: work holidays
costiera: coast, coastal
amalfitana: Amalfi
toscana: Tuscan

B

migliorare: to improve
prevedere: to foresee

C

veneziana: Venetian

2nd review quiz
(units 3, 4 and 5)

A

parco: park

F

soltanto (*avv.*): only
ginnastica: gymnastics
dischi: records

Episodio unità 1 - *Un nuovo lavoro*

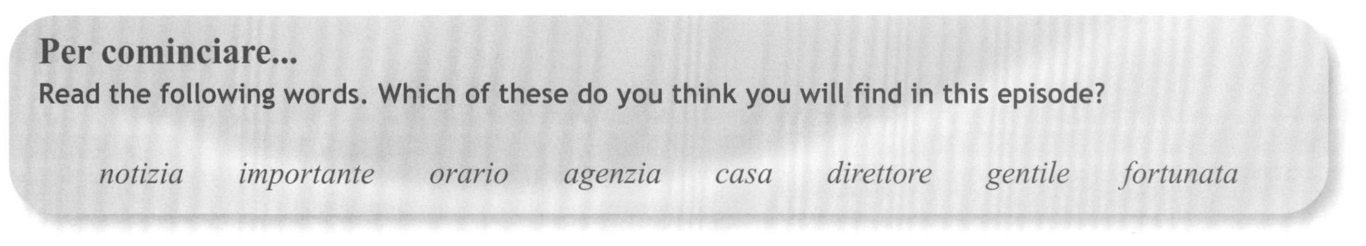

Per cominciare...

Read the following words. Which of these do you think you will find in this episode?

notizia *importante* *orario* *agenzia* *casa* *direttore* *gentile* *fortunata*

Guardiamo

Watch the episode and fill in the blanks under the pictures with the following sentences.

1. *Pronto? Ehi, ciao Lorenzo! Come va?*
2. *E tu, dove abiti, Gianna?*
3. *Buongiorno! Sei Gianna, no?*
4. *Ciao Michela, ci vediamo domani!*

a.

....

b.

....

c.

....

d.

....

Facciamo il punto

1 Work in pairs and try to describe the two protagonists.

	capelli	occhi	altro	
GIANNA	....	....	magra	grassa
	....		bionda	mora
MICHELA	....	....	alta	bassa
	....		bionda	castana

2 Work in pairs and make a brief summary of the story you saw, with the help of the pictures on this page.

Episodio unità 2 - *Che bella casa!*

Per cominciare...

1 Some of the following words appear in unit 2 of the Student's book. Do you remember what they mean? Which of these are related to the house?

concerto *appartamento* *prefisso* *Natale* *affitto* *soggiorno*

2 Watch the first 30 seconds of the episode and guess what will happen next.

Guardiamo

1 Watch the entire episode and verify your guesses.

2 Match the words to the pictures according to what the two protagonists say.

confusione ☐ comodo ☐ carino ☐ grande ☐

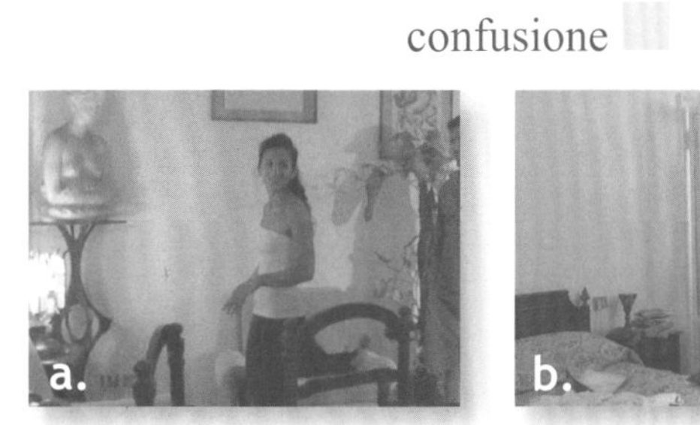
a.

b.

c.

d.

Facciamo il punto

1 Put the phrases in chronological order and match them to Lorenzo (L) or Gianna (G), as shown. If necessary, watch the episode again.

☐	☐	Senti, vuoi bere qualcosa?	☐	☐	Beviamo qualcosa fuori!
☐	☐	Perfetto! Andiamo allora.	☐	☐	Proprio bella la tua casa!
☐	☐	Lo sai, sono disordinato.	1	L	L'ascensore è in fondo a destra!

2 Work in pairs, observe the frames and describe what happens in each scene.

a. b. c.

3 Open the book on page 33. Which of the expressions in blue are used by Lorenzo and which by Gianna in their video dialogue?

d. e.

Episodio unità 3 - *Una telefonata importante*

Per cominciare...

The title of this episode is "An important phone call". Watch the first 50 seconds and guess: in your opinion, who calls Gianna and why is the phone call important?

Guardiamo

1 Watch the episode and check your guesses.

2 Look at the following four pictures and indicate the right order.

Facciamo il punto

1 Observe the gestures and the expressions of the two protagonists and match the sentences to the right pictures.

a. Sai se c'è un'agenzia di corriere espresso qua vicino?
b. Ma Gianna, accidenti, sono 540 Mega!
c. Sì, credo di sì... Eccola!
d. Comunque grazie, Lorenzo, sei davvero gentile a perdere tempo con me...

2 Write a summary of the episode (50 words max.). If you need hints you can look at the pictures previously given.

Episodio unità 4 - *Una pausa al bar*

Per cominciare...

Watch the first 30 seconds of the video with the audio and from 31'' to 1'00 without audio. What do you think is happening? Working in pairs, describe the images you have seen and try to guess the ending.

Guardiamo

1 Now watch the entire episode and check your guesses.

2 Match the sentences to the right frames.

a. *Ma hai già ordinato una spremuta!*
b. *Io vorrei una spremuta d'arancia.*
c. *Ho capito. Allora, ripeto: per la signora...*
d. *No, io ho ordinato solo il tiramisù! Che confusione!*

Facciamo il punto

1 Answer the questions.

1. Perché Gianna non ha fame?
2. Perché poi cambia idea e ordina qualcosa?
3. Come vuole il caffè Lorenzo?
4. Perché il cameriere ha sbagliato le ordinazioni?

2 Working in pairs, observe the price list (the same we found on page 67): according to their orders (the correct ones!), how much did Gianna and Lorenzo spend?

caffè GIOLITTI

CAFFETTERIA	
Caffè espresso	1,40
Caffè corretto	1,60
Caffè espresso decaffeinato	1,60
Cappuccino	1,60
Caffelatte - Latte	1,30
Tè - Camomilla	1,60
Cioccolata in tazza - con panna	1,70
Caffè - tè freddo	1,70

GELATI - DOLCI	
Coppa Giolitti	6,50
Torta al caffè	5,40
Tiramisù	5,20
Zabaione	5,20
Stracciatella	5,20
Cioccolato	5,20
Pannacotta	5,20

caffè GIOLITTI

BIBITE	
Bibite in lattina	1,60
Bibite in bottiglia	1,50
Spremuta d'arancia	2,80
Birra alla spina piccola	1,70
Birra alla spina media	2,60
Birra in bottiglia	3,00
Acqua minerale - bicchiere	0,50
Acqua minerale - bottiglia	1,70

APERITIVI	
Bitter - Campari	3,60
Martini: rosso - dry - bianco	3,60

PANINI - TRAMEZZINI	
Prosciutto crudo e mozzarella	1,80
Mozzarella e pomodoro	1,80

Episodio unità 5 - *Organizziamo un viaggio!*

Per cominciare...

We know that Gianna works at a travel agency. What do you think will happen in this episode? Will it be Lorenzo that will make a journey or both of them and where to? Make two guesses.

Guardiamo

During the episode Gianna makes two very "Italian" gestures: look at the pictures and match the gesture to its meaning in this context. Careful, there is one extra interpretation!

☐ *Vai via, che è meglio!* ☐ *Ma cosa vuoi qui?* ☐ *È una cosa incredibile!*

Facciamo il punto

1 Answer the questions.

1. Lorenzo viaggerà
   a. ☐ con 3 amici b. ☐ con 4 amici
   c. ☐ con la famiglia d. ☐ con Gianna

2. Il viaggio di andata sarà
   a. ☐ con un treno Regionale b. ☐ in macchina
   c. ☐ con un treno veloce d. ☐ in autobus

3. Il viaggio durerà
   a. ☐ 4 giorni b. ☐ 6 giorni
   c. ☐ 10 giorni d. ☐ una settimana

2 Write a summary of the episode (50-60 words).

Gioco unità 0 - 5

5 Immagina il dialogo tra i due.

6 Due tuoi progetti per il futuro.

7

			1	2	3	4
5	6	7	8	9	10	11
12	13	14	15	16	17	18
19	20	21	22	23	24	25
26	27	28				

Quali sono i giorni della settimana?

4 Parla di te alla classe (chi sei, come sei, cosa fai ecc.).

21 Vai a pagina 82 del Libro dello studente: come sarà il tempo domenica a Roma?

22 Vai a pagina 50 del Libro dello studente, immagine A: dov'è la lampada?

3 Fai lo spelling del tuo nome.

20 Il presente indicativo del verbo *fare*.

29 Qual è il contrario di *corto*?

2 Dove vai stasera?

19 Chiedi un biglietto per Firenze.

28 Guarda l'immagine a pagina 21 del Libro dello studente: cosa succede? Ricordi chi sono i due ragazzi?

1 Leggi e risolvi: 30 + 25 = ...

PARTENZA

18 Immagina un breve dialogo fra queste persone.

17 Che ore sono in questo momento?

Instructions on page 170

Game instructions

Materials needed: the 30-square board, a dice and a token for each player (for example, a coin).

1. 1 to 4 students, or two pairs can play with each board.
2. The player that gets the higher number by rolling the dice starts first.
3. The player that arrives first to square 30 wins.
4. Each player rolls the dice and moves his token a number of squares on the board as specified by the dice. He reads the instruction or the question indicated in the square he landed on and does the activity.
5. If the player does the exercise correctly he can stay on the square (or go to the indicated one). If he fails to answer, he moves back to the previous square. In both cases the turn passes to the other player.
6. To win, it's necessary to reach square 30 with an exact dice roll. If the player with his dice roll goes past the last square, he has to go back one square for each point in excess (for example if he is on square 28 and his dice roll is 6, he goes 2 squares forth up to square 30 and then 4 squares back to square 26).

Index of Audio CD *Nuovo Progetto italiano 1* [Duration: 69'17"]

Unità introduttiva
1 A3 [1'31"]
2 A5 [1'31"]
3 A6 [1'05"]
4 C1 (a, b) [0'42"]
5 C7 [0'47"]
6 C8 [1'04"]
7 D1 [0'35"]
8 D6 [0'55"]
9 D7 [0'58"]
10 E1 (1, 2, 3, 4) [1'06"]
11 E7 [1'09"]
12 E8 [1'02"]

Unità 1
13 A1 [1'12"]
14 C1 [1'01"]
15 D2 (1, 2, 3, 4) [0'45"]
16 F2 [0'33"]

Unità 2
17 Per cominciare 3 [1'24"]
18 B1 (1, 2, 3, 4) [1'04"]
19 F1 [1'06"]

Unità 3
20 Per cominciare 3 [1'23"]
21 B1 (a, b, c) [0'59"]
22 F1 (a, b, c) [0'40"]
23 Quaderno degli esercizi [1'41"]

Unità 4
24 Per cominciare 2 [1'42"]
25 D1 [1'14"]
26 Quaderno degli esercizi (1, 2) [1'34"]

Unità 5
27 Per cominciare 2 [1'33"]
28 B2 (1, 2, 3, 4, 5) [1'15"]
29 D1 [0'51"]
30 D2 [0'53"]
31 Quaderno degli esercizi [1'38"]

Unità 6
32 Per cominciare 2 [1'15"]
33 C2 [1'43"]
34 C6 (1, 2) [1'48"]

Unità 7
35 Per cominciare 4 [1'40"]
36 C1 [1'20"]
37 D1 (1, 2, 3, 4) [1'06"]
38 Quaderno degli esercizi [1'30"]

Unità 8
39 Per cominciare 2 [1'26"]
40 B1 (a, b, c, d, e, f) [0'57"]
41 E1 (1, 2, 3, 4, 5, 6) [1'19"]
42 Quaderno degli esercizi [2'25"]

Unità 9
43 Per cominciare 3 [1'31"]
44 B1 (a, b) [2'01"]
45 E1 (a, b, c, d) [0'52"]
46 Quaderno degli esercizi [2'00"]

Unità 10
47 Per cominciare 2 [1'28"]
48 B1 [0'52"]
49 E2 (a, b, c) [1'16"]
50 F1 (a, b, c) [1'05"]
51 Quaderno degli esercizi [1'48"]

Unità 11
52 Per cominciare 3 [1'36"]
53 C1 [1'13"]
54 Quaderno degli esercizi [1'49"]

Unit Section	Communicative and vocabulary elements	Grammar elements
Unità introduttiva	***Benvenuti!***	**page 5**
A Parole e lettere	Presentation of some Italian words that are well known abroad Calculation of words	Alphabet Pronunciation (*c*/*g*)
B Italiano o italiana?		Nouns and adjectives Noun and adjective agreement
C Ciao, io sono Gianna...	Introducing others Introducing yourself Greetings, Nationality Saying your nationality	Personal subject pronouns *Presente indicativo* of *essere* Pronunciation (*s*)
D Il ragazzo o la ragazza?	Making the first complete sentences Cardinal numbers (*1-10*)	*Articolo determinativo* Pronunciation (*gn*/*gl*/*z*)
E Chi è?	Asking and saying your name Asking and saying your age Numbers (*11-30*)	*Presente indicativo* of *avere* *Presente indicativo* of *chiamarsi* (*io*, *tu*, *lui*/*lei*) Pronunciation (*doppie consonanti*)

Unit Section	Communicative and vocabulary elements	Grammar elements
Unità 1	***Un nuovo inizio***	**page 15**
A E dove lavori adesso?	Speaking on the telephone Speaking about something new Asking how someone is	The three verb conjugations (*-are*, *-ere*, *-ire*) *Indicativo presente*: regular verbs
B Un giorno importante!	Writing an e-mail Getting acquainted	*Articolo indeterminativo* Adjectives in *-e*
C Di dove sei?	Asking for and giving information Meeting someone	
D Ciao Maria!	Greetings Replying to greetings	
E Lei, di dov'è?	Speaking to someone using the *Lei* form	Polite form
F Com'è?	Describing what someone looks like and his/her personality The face	

Conosciamo l'Italia:
L'Italia: regioni e città. Some geography

Unit Section	Communicative and vocabulary elements	Grammar elements

Unità 2 ***Come passi il tempo libero?*** **page 29**

A Un'intervista	Leisure Weekend activities	*Presente indicativo*: irregular verbs
B Vieni con noi?	Inviting Accepting or declining an invitation	
C Scusi, posso entrare?		*Presente indicativo* of modal verbs: *potere*, *volere* and *dovere*
D Dove abiti?	Asking for and giving an address Describing your home Cardinal numbers (30-2.000) Ordinal numbers	
E Vado in Italia.		Prepositions
F Che giorno è?	The days of the week Asking and saying what day it is	
G Che ora è?/Che ore sono?	Asking and telling the time	

Conosciamo l'Italia:
I mezzi di trasporto urbano. Getting around in town: means of public and private transport; tickets

Unità 3 ***Scrivere e telefonare*** **page 43**

A Perché non scrivi un'e-mail?	Sending a letter, a package	*Preposizioni articolate* *Partitivo*
B A che ora?	Asking and telling the opening time of an office, a shop, etc	
C Dov'è?	Locating objects in space	Expressions of place *C'è - Ci sono*
D Mah, non so...	Expressing uncertainty, doubt	
E Di chi è?	Expressing possession	*Possessivi* (*mio/a*, *tuo/a*, *suo/a*)
F Grazie!	Thanking, replying to thanks	
G Vocabolario e abilità	Months and seasons Cardinal numbers (1.000-1.000.000) Speaking of price	

Conosciamo l'Italia:
Scrivere un'e-mail o una lettera (informale/amichevole)... Opening and closing formulas for letters/e-mails (informal). Useful writing expressions.
...e telefonare. Information about Italian telephone services

Unit Section	Communicative and vocabulary elements	Grammar elements

Unità 4 *Al bar* **page 57**

A Come hai passato il fine settimana?	Speaking in the past tense Leisure activities	*Participio passato*: regular verbs *Passato prossimo*
B Cosa ha fatto ieri?	Using the past	The auxiliary *essere* or *avere*? *Participio passato*: irregular verbs
C Ha già lavorato...?	Situating an event in the past Expressions of time Work interviews	*Ci* Time adverbs with the *passato prossimo*
D Cosa prendiamo?	Ordering and offering at the cafe Expressing preference The price list at the cafe	Modal verbs in the *passato prossimo*

E Abilità. Expansion of unit contents through some skills (listening, speaking, writing)

Conosciamo l'Italia:
Gli italiani e il bar. Cafe habits. The piazza as a meeting place
Il caffè. A brief history of espresso. Types of coffee
Caffè, che passione! Details about coffee consumption in Italy. Types of coffee pots

Unità 5 *Feste e viaggi* **page 73**

A Faremo un viaggio.	Festivities: Christmas and New Year's Eve Planning, forecasts, ideas, promises for the future Hypothetic period (I type)	*Futuro*: regular and irregular verbs Uses of the *futuro*
B In treno	Useful expressions for travelling by train	
C In montagna		*Futuro composto* Use of the *futuro composto*
D Che tempo farà domani?	Speaking about the weather Organizing a trip	
E Vocabolario e abilità	Holidays and trips	

Conosciamo l'Italia:
Gli italiani e le feste. Religious and national holidays
I treni in Italia. Types of trains and services offered

Workbook page 87
Grammar Appendix page 140
Soluzioni delle attività di autovalutazione page 143
Grammar notes page 144
Glossary page 152
Attività video page 163
Gioco didattico page 168
Index of Audio CD page 170
Index page 171
Interactive CD-ROM instructions page 174

Interactive CD-ROM (version 3.1)

This innovative multimedia support completes and enriches *The Italian Project 1*, making up a truly useful aid for students. It offers many additional practice hours to those who wish to study in an active and motivating way. The clear and pleasant interface makes it super easy to use.
After a brief installation (see below) and selection of the programme communication language (Italian or English) the ***home page*** will open. This is what you need to know:

Based mainly on the textbook units, but with many differences... which you can discover!

Totally new activities, not only grammar, but also listening, vocabulary, communicative elements, games...

Civilization passages, somewhat different from those in the book, with new activities and links to connect to the Internet!

"Dynamic" grammar tables for fast consultation.

Video films to learn more about the civilization aspects seen in the book.

All of the book's audio CD recordings are to be listened to freely at home.

All communicative elements (dialogues and activities) are for free study.

You can improve your pronunciation by recording and listening to your voice.

Suggestions and answers to possible questions and doubts about CD-ROM use.

The tools allow you to choose the language, the colours and modify the audio volume.

PROGETTO ITALIANO 1
Unità intere
Esercizi extra
ascolto
grammatica
comunicare
civiltà
video
rec
EDILINGUA

In the glossary you will find the English translation and the correct pronunciation of all the *The Italian Project 1* words.

In the report card you can find and print the results of all the activities you have done.

These ***commands*** are on every window. Their meaning is easy to understand:

strumenti
tools

pagina centrale
home page

ripeti l'attività
repeat

con o senza audio
audio on/off

play/pause

torna indietro
back

vai avanti
forward

valutazione dell'attività e soluzioni
evaluation and solutions

glossario
glossary

aiuto
help

vedi/nascondi testo
show/hide text

Buon lavoro e buon divertimento!

Installazione: Inserire il CD-ROM nel lettore; fare doppio clic su My computer, sul lettore CD e infine su *setup.exe*; dare tutte le informazioni che chiede il programma e cliccare sempre su next/avanti. **Per avviare il programma**: Inserire sempre il CD-ROM nel lettore CD; cliccare sull'icona creata sul desktop, oppure andare a Start, selezionare Programs e cliccare su Progetto italiano 1. **Requisiti minimi**: Processore Pentium III, lettore CD 16x, scheda audio, 128 MB di RAM, grafica 800x600, 300 MB sul disco fisso, altoparlanti o cuffie. Compatibilità con Windows e Macintosh.

Installation: Insert the CD-ROM in the drive; double click on My computer, then on the CD drive and finally on *setup.exe*; give all the required information and click on next/avanti. **To start the program**: Always insert the CD-ROM in the drive; click on the desktop icon created during the installation or go to Start, select programs and click on Progetto italiano 1. **Minimal system requirements**: Processor Pentium III, CD-ROM drive 16x, sound card, 128 MB RAM, 800x600 or higher screen resolution, 300 MB free hard disk, speakers or headphones. Compatible with Windows and Macintosh.

The Italian Project 1 si può integrare con:

Le ***Attività online*** che, attraverso siti sicuri e controllati periodicamente, propongono motivanti esercitazioni che accompagnano lo studente alla scoperta di un'immagine più viva e dinamica della cultura e della società italiana. Le attività proposte si possono svolgere individualmente, in coppia o in gruppo e stimolano la partecipazione, la collaborazione e la produzione orale.

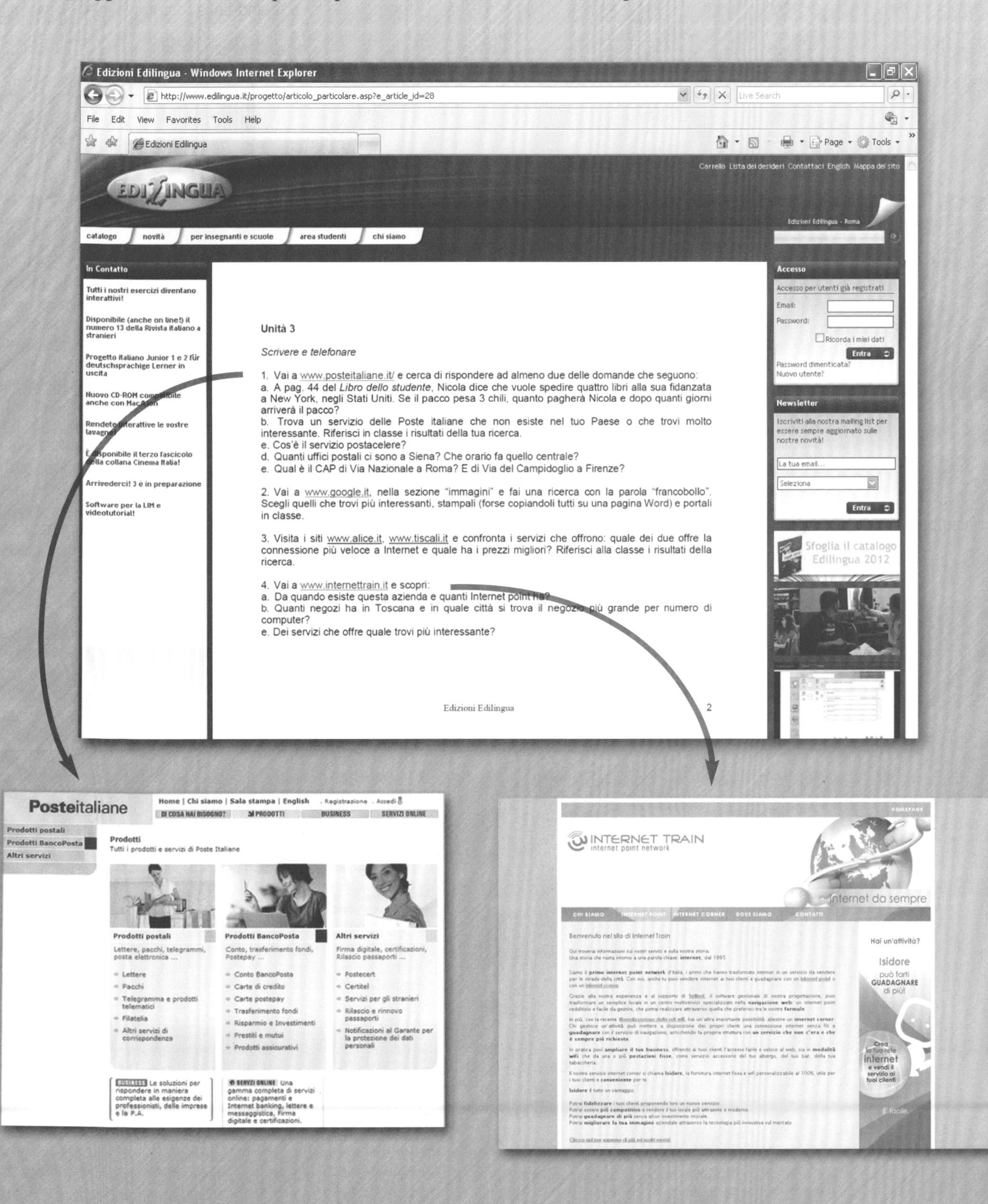

The Italian Project 1a si può integrare con:

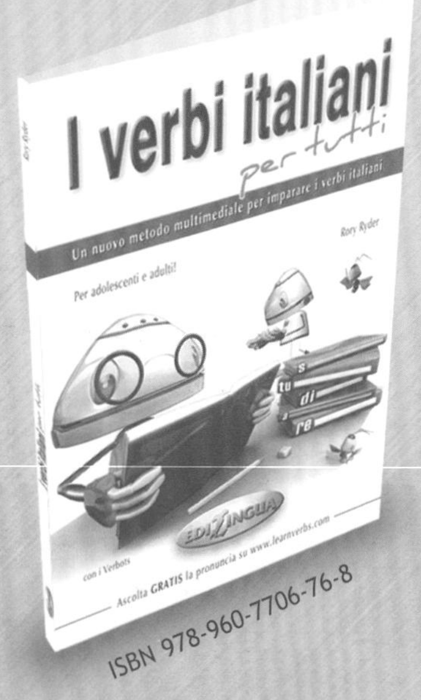

ISBN 978-960-7706-76-8

I verbi italiani per tutti,
raccoglie un centinaio di verbi tra quelli più frequenti e utilizza un approccio "multimediale". Di ciascun verbo viene data la coniugazione di tutti i tempi e i modi verbali, facilmente distinguibili in due tabelle colorate; un'immagine che descrive l'azione espressa dal verbo in uno specifico contesto e la possibilità di ascoltare la pronuncia (online) della coniugazione.
Una ricca Appendice con ulteriori verbi irregolari, una sezione sulle reggenze verbali e un glossario plurilingue (inglese, francese, spagnolo, portoghese e cinese) completano il volume.

Una grammatica italiana per tutti 1,
correda e completa benissimo *The italian project 1a*, in quanto segue la stessa gradualità grammaticale e lessicale. Il libro è organizzato in una parte teorica, che esamina le strutture della lingua italiana in modo chiaro ma completo, utilizzando un linguaggio semplice e numerosi esempi tratti dalla lingua di ogni giorno, e in una parte pratica, con tanti differenti esercizi con le rispettive chiavi in appendice.

ISBN 978-960-7706-70-6

ISBN Libro 978-960-6632-17-4
ISBN Libro + CD 978-960-6632-77-8

Collana *Primiracconti*, letture graduate per stranieri.
Traffico in centro, racconta la storia dell'amicizia tra Giorgio (uno studente universitario di Legge) e Mario (un noto e serio avvocato), nata in seguito a un incidente stradale nel centro di Milano. Per Giorgio, Mario è l'immagine di quello che vuole diventare da "grande" e per Mario, al contrario, Giorgio è l'immagine del suo passato di ragazzo spensierato e allegro...
Traffico in centro, disponibile con o senza CD audio, contiene una sezione con stimolanti attività e le rispettive chiavi in appendice.

ISBN 978-960-6632-91-4

Dieci Racconti,
ispirandosi alle situazioni di *The Italian Project 1*, approfondisce gli argomenti trattati nel manuale e ne reimpiega il lessico. Ciascun raccontino presenta un utile mini-glossario a piè di pagina ed è accompagnato da alcune attività con relative chiavi.

ISBN 978-960-7706-42-3

***Primo Ascolto*,**
integra benissimo *The Italian Project 1* in quanto, con gradualità, tratta molti degli stessi argomenti.
Primo Ascolto, oltre a sviluppare l'abilità di ascolto dello studente, lo aiuta nella preparazione della prova di comprensione orale dei vari esami di certificazione.
Il *Libro dello studente* è organizzato in 40 testi, ciascuno corredato da due attività, una preparatoria e una che ricalca le tipologie degli esami.

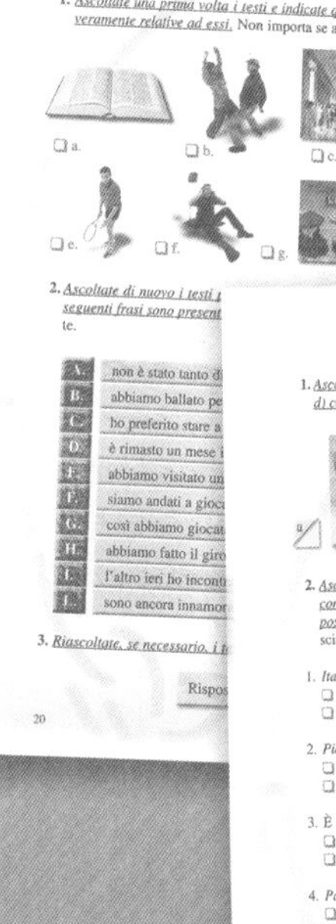

7. Cos'hai fatto?

1. Ascoltate una prima volta i testi e indicate quali delle seguenti foto sono veramente relative ad essi. Non importa se avete parole sconosciute.

a. b. c. d. e. f. g. h.

8. Messaggi pubblicitari (1)

1. Ascoltate una prima volta i testi e indicate a quale delle seguenti foto (a - d) corrisponde ogni messaggio. Non importa se avete parole sconosciute.

2. Ascoltate i messaggi una o due volte e indicate con una X l'affermazione giusta fra le due proposte. Non preoccupatevi se avete parole sconosciute.

1. Italmobil produce mobili
a. per casa
b. per ufficio

2. Piatto volante è il nome di una catena di
a. Internet caffè
b. paninoteche – bar

3. È la pubblicità di
a. un concerto
b. un cd

4. Pastissima è
a. un ristorante
b. un libro di cucina

3. Riascoltate, se necessario, i testi e verificate le vostre risposte.

Risposte giuste: /4

20 21

ISBN 978-960-7706-28-7

***La Prova Orale 1*,**
aiuta gli studenti ad esprimersi in modo spontaneo e corretto e a prepararsi ad affrontare con successo la prova orale delle varie certificazioni di lingua italiana.
Il libro è composto da 35 unità tematiche, che coprono una vasta gamma di argomenti, e un'Appendice con il glossario e due brevi test. Ogni unità tematica, per stimolare continuamente la discussione, comprende: fotografie-stimolo, numerose domande, lessico utile, attività comunicative e un role-play.

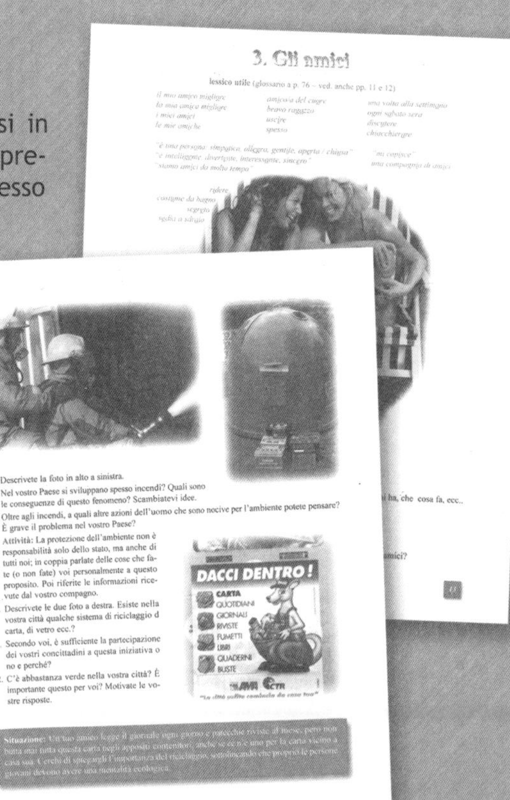

3. Gli amici

6. Descrivete la foto in alto a sinistra.
7. Nel vostro Paese si sviluppano spesso incendi? Quali sono le conseguenze di questo fenomeno? Scambiatevi idee.
8. Oltre agli incendi, a quali altre azioni dell'uomo che sono nocive per l'ambiente potete pensare? È grave il problema nel vostro Paese?
9. Attività: La protezione dell'ambiente non è responsabilità solo dello stato, ma anche di tutti noi; in coppia parlate delle cose che fate (o non fate) voi personalmente a questo proposito. Poi riferite le informazioni ricevute dal vostro compagno.
10. Descrivete le due foto a destra. Esiste nella vostra città qualche sistema di riciclaggio di carta, di vetro ecc.?
11. Secondo voi, è sufficiente la partecipazione dei vostri concittadini a questa iniziativa o no e perché?
12. C'è abbastanza verde nella vostra città? È importante questo per voi? Motivate le vostre risposte.

DACCI DENTRO!

La Prova Orale 1